はじめに

　今から千年以上前に紀貫之は「世の中にある人、ことわざ繁きものなれば、心に思ふことを、見るもの聞くものにつけて言ひいだせるなり」と書いているが、新型コロナ感染という事と業（わざ）を前にしたとき、私たちの口から溢れ出す言の葉はよろずにして様々だ。

　独裁者はここを先途と強権を発動し、いたずらに人々の恐怖や不安を煽る。「絆」や「思いやり」という語を氾濫させて、内攻的な同調圧力を強める国もある。

　歌の言葉は暗い多義性に満ちている。生と死を混ぜ合わせ、悲しみの海に歓びの滴を垂らす。「力をも入れずして天地を動かし、目に見えぬ鬼神をもあはれと思はせ」るかどうかはさておき、狂気と蒙昧（もうまい）への抗体にはなりそうだ。本書をワクチンとして魂に接種してみよう。

四元康祐

この本の収益の一部を「国境なき医師団」に寄付いたします。

地球にステイ！

多国籍アンソロジー詩集

CONTENTS

凡例　本文中、著者による注は※で、訳者による注は＊で示した。

地球にステイ！

多国籍アンソロジー詩集

Ana Ristovic

このすべてが

このすべてが過ぎ去るとき

過ぎ去るわよ、いつかきっと過ぎ去るはず—

これがすべてになることなんてないの

すべてにはもちろんこれも、

あれもあるのだから

けれど—すべてが過ぎ去るとき、

これも過ぎ去るけど、

本当にすべてが過ぎ去るのかしら。

それともすべては過ぎ去るけど、

これはちがうのかしら、

だってこれはあらゆるものと腕を組み、

あらゆることの

役にも立つ、そしてこれ自身にも。

だから—

このすべてが過ぎ去るとき

このすべてが私たちの過去になるとき

私たちのすべてが、

これのないすべてになるとき

これがすべての一部になるだろうから、

私たちがこれもあれもできるようになるとき

(このすべてが過ぎ去るとき)

ねえ！　これも、あれも！

―そのとき！　ジャジャーン！　―ほうら！

すべてはすべてになるけど

これはもう存在しないの。

そのとき！　澄みわたる空の下ではなく

聖堂に足を踏み入れるように

静粛に通りに出て

会いましょう、

そして見ましょう、すべてを。

［翻訳・岡野要］

アナ・リストヴィッチ▶詩人、翻訳家。ベオグラード生まれ。『Directions for Use』、『Meteoric Debris』など、これまでに9冊の詩集を出版。その作品は英語、ドイツ語、ハンガリー語、マケドニア語、スロベニア語、スロバキア語に翻訳されており、ヨーロッパの若い詩人のためのドイツの文学賞〈Hubert Burda Preis〉をはじめ、数多くの賞を受賞。また翻訳家としてスロベニアの現代文学をセルビア語に翻訳紹介している。

Won Yi

花瓶と波の距離

ヘッドフォンが１人の頭を覆っていた

がたがたしている地球の音を１人の２つの耳が知っているはずだ

１人は両手をポケットに突っ込んで歩いていた

指の角度がポケットの形を変えていた

１人は白い椅子にもたれて座っていた

両腕をひじ掛けに置いていた

左のひじ掛けの横に大きな花瓶があった

ピンクの花が咲こうとしていた

赤い花が咲こうとしていた　赤い花のおしべには薄いクリーム色があった

白い花が咲こうとしていた

伸びていった虚空に白い塔が輝いていた

青い海

青い空が打ち寄せた

花瓶と波の間

たわめた鉄条網で造った垣根があった

鉄条網はたわんでいるだけなのに垣根は四角形だった

錆びた泥が満ちようとしていた

岩の隙間から流れ出る水の音

ナイフで岩を傷つけるみたいにUFOが通り過ぎた

［翻訳・吉川凪］

李源（イ・ウォン）▶1968年、韓国京畿道華城生まれ。92年『世界の文学』でデビュー。著書に、詩集『彼らが地球を支配していた時』『Yahoo!の川に千個の月が出る』『この世でいちばん軽いオートバイ』『不可能な紙の歴史』『愛は誕生せよ』『私は私の優しいシマウマ』がある。現代詩学作品賞、現代詩作品賞、詩で開く世界作品賞、詩作作品賞、衡平文学賞、詩人トンネ文学賞を受賞。

Samrye Lee

歌

歌っているあいだに黄斑変性が再発した

2メートルずつ離れて立っている

石村(ソクチョン)湖畔の桜の花の下で

腕を伸ばしても届かないお前に向けて

私は手の代わりに歌を1曲差し出す

身を伏せた猫が

鳥をかっさらえば

足の爪より速く雲が流れる

口を目の下につけたまま呼吸する木々、
宙を見上げる私のかかとを見下ろしている
私は貸付を受けようと　間隔をあけることも忘れ
行列に並ぶ自営業者、

お前は私を見下ろし　私はお前を見上げ
ヌルンジ* 工場のアルバイトをクビになった歌が
手の甲にとまり
メロディーが燃え尽きるまで丸ごと歌う

*ヌルンジ　ご飯のおこげのこと。せんべいのようにまたくして乾燥させれば保存食になる。

［翻訳・吉川凪］

李三礼（イ・サムネ）▶韓国全羅南道新安の智島に生まれる。光州、大邱、大田、ソウル松坡区芳荑洞などで歌を歌えるバーを経営した。現在は南漢山城の麓にある〈コゴル村〉で詩を書いて暮らす。2019年「受信箱を消しながら」など11篇の詩が『詩人』新人文学賞を受賞。著書に、詩集『手を握って離せば』（2020）がある。

Jangwook Lee

敵の居場所

一生涯　敵が消えないよう努力してきたのに
たやすく平和にならないようにしてきたのに

私の敵はどこにいるのですか　貴族　両班（ヤンバン）　ブルジョア
帝王　国王　独裁者
ついには家父長　テロリスト　人種差別主義者まで

ところで敵はどこだ
鉄柵の向こうか？　眠りの向こう？
遥かな水平線に銃口を向けたまま
孤独な朝がまた訪れる

ヘイ、敵は共産主義者か帝国主義者だと思っていたのに
　……エイリアンか悪夢だと思っていたのに……
あなただったんですね

どうして私の敵は幸福マートや世紀クリーニングに
　うっとうしい天気に
街で偶然私に会って　こんにちは、
と挨拶を

外部には違いないけれど内部と見分けのつかない所で
内部でありながら同時に外部でもある所で
見えない　聞こえない　悲鳴を上げることもできない所
　で
隔離された所で
私たちは生き続けた

敵が同志をつくり　同志が敵をつくります　敵がいなけ
　れば同志もいないから
あなたを愛しています

今日の海は永遠の海だから空と区別できません

でもあちらで何かがうごめいていますね

誰だ！　手を上げろ！

あなたの気持ちを理解するため　私は懸命に

孤独になった

あなたが最後まで平和にならないよう　私は

愛した

敵として

あなたの　終わらない愛として

［翻訳・吉川凪］

李章旭（イ・ジャンウク）▶1968年、韓国ソウル生まれ。1994年、『現代文学』で詩を、2005年に文学手帳作家賞を受賞して小説を発表し始めた。著書に、詩集『私の眠りの中の砂山』『正午のリクエスト曲』『生年月日』『永遠ではないから可能な』、長編小説『カロの愉快な悪魔たち』『天国より見慣れない』、小説集『告白の帝王』『キリンではないすべてのもの』『エイプリルマーチの愛』、評論集『革命とモダニズム』『わが憂鬱なモダンボーイ』など。邦訳に小説『私たち皆のチョン・グィボ』がある。

Seiko Ito

地球にステイする私たちは

私たちはいやおうもなくとどまった。ステイ・ホーム、と犬への命令みたいにお互いが言い合って。

私はこの「ステイ」の体験こそが人類を変えると思う。どんな動機を持っている人であれ、私たちはみな「立ち止まらされた」。

急に外に出るなと言われ、同じような気楽な服で過ごし、自分の本当に好きなレトルトは何かに気づいたり、ズーム飲み会をしてみたら誰と気が合うかが違って感じられたり、あんなにおっくうだった腿のトレーニングにいそしんでみたり、読まずに放っておいた文学に手が出てみたり、どうしても花屋の店先で花束が欲しくなったり、朝起きた窓の外で小鳥がよく鳴くことにときめいてみたり。

それらはみな、「立ち止まらされた」されたから出てきた変化である。ステイが私たちにもたらした何事かである。

もしポスト・コロナになって以前と同じように「走らされて」も、もう私たちは「立ち止まった」時の自分たちの変化を忘れることは出来ない。

これは地球規模でそうなのである。

なんとかこの急な崖を登りきれたなら、友よ、この目にうっすら見えてきている新しい世界像へと共に向かおうではないか。

いや、すでにその明日が今「立ち止まって」私たちを待っている。

『婦人画報』2020年8月号掲載作品より

いとうせいこう▶作家・クリエーター。1961年生まれ、東京都出身。88年に小説『ノーライフ・キング』でデビュー。99年「ボタニカル・ライフ」で第15回講談社エッセイ賞受賞、『想像ラジオ』で第35回野間文芸新人賞受賞。近著に『鼻に挟み撃ち』『我々の恋愛』『どんぶらこ』『「国境なき医師団」を見に行く』『小説禁止令に賛同する』『今夜、笑いの数を数えましょう』『「国境なき医師団」になろう！』などがある。

Edgar Wasser

ヒポコンダー・心気症

昨日から寝込んでる
やっぱり感染したみたい
発熱、倦怠、喉の痛みに咳
Googleで症状を検索してみると
なんと全部ヒットしている、
この僕に直撃ヒット！
ああ、もうゼッタイ感染ってる
ものすごい勢いで中国、日本、
韓国を駆け巡っている
コロナウィルスは今、
僕の部屋のなかをぐるぐる
イタリアとイランでも死者が出たって？
僕が棺桶に横たわるのも、
そう遠くではないだろう
せめてその日までEm-eukalの
のど飴がもちますように
でも、ほんとはただの風邪だったりして

ヒポコンダー、ヒッポ、ヒポコンダー
いたるところにバケモノ、モンスター

ヒポコンダー、ヒッポ、ヒポコンダー

いたるところにバケモノ、モンスター

ヒポコンダー、ヒポコンダー、（パラノイア）

ヒポコンダー、ヒポコンダー

（恐怖、恐怖、恐怖）

ヒポコンダー、ヒポコンダー、（パラノイア）

ヒポコンダー、ヒポコンダー

（恐怖、恐怖、恐怖）

ごめん、ちょっと大袈裟だったね

やっぱりウイルスには感染していなかったよ

うっかり早とちり

でもアジア人である僕にとっては、

おんなじことさ

低い鼻、細い目、黒い髪

つまり、今や僕とは「リスク」だってこと

つまり、

電車に乗り合わせた人のギョッとした顔つき

つまり、スカーフで口を隠して！

つまり、お店でトラブルを起こしたくないなら商品は棚に戻さないこと！
つまり、レジ係から「あんた中国人？」
と訊かれたら、「はい」と嘘をつくこと

ヒポコンダー、ヒッポ、ヒポコンダー
いたるところにバケモノ、モンスター
ヒポコンダー、ヒッポ、ヒポコンダー
いたるところにバケモノ、モンスター
ヒポコンダー、ヒポコンダー、（パラノイア）
ヒポコンダー、ヒポコンダー
（恐怖、恐怖、恐怖）
ヒポコンダー、ヒポコンダー、（パラノイア）
ヒポコンダー、ヒポコンダー
（恐怖、恐怖、恐怖）

（TVニュースの声「ドイツにおけるコロナ感染者数は増加の一途を辿り、すでに千人以上が隔離されています。私たちは新型ウイルスにどう対処すればよいのでしょうか？ そこにはどれほどの危険があるのでしょうか？」）

数ヶ月後、僕は認めることになる
やっぱり事態を過小評価していたのだと
まず祖父母がやられ、次に両親がやられた
彼らは医療制度や経済と一緒に崩壊していった
すべての市民がルールに従い、
ゲームに参加している限り
文明化された現代社会という幻想は成り立つが、

でもバスの中で咳をしただけで、
乗客たちが怒り狂って
君を道路に蹴り出すとき、文明は終焉を迎える
誰もが息をしようともがいている
缶詰のパスタが品切れになる
酸素ボンベとガスマスクで
ゴーストタウンをさまよい歩く
子供が喘ぎながらスーパーの前に倒れている
僕は遠回りして通り過ぎる
窓が割られているところを見ると
ここには何もないだろう

最後の配給食は　ケチャップと豆

夕日が沈んでゆく

ようこそ、Night of the living deadへ！

暗い夜道を必死で走る

不安と恐怖

パニック、ストレス、突き刺す便意

迷ってしまったと思ったとき、

向こうからヘッドライトが！

僕は車に乗りこみ、顔のマスクを剥ぎとる

そいつはズボンの前を開く

僕はそれを入れて、なすがままにされる

思ってもみなかった、

こんなことをするなんて

トイレットパーパー一個のために

［翻訳・四元康祐］

原文：ドイツ語（2020年3月にリリースされたラップ「Hypoconder」の歌詞）

「Hypoconder」MV

エドガー・ヴァッサー▶1990年、シカゴ生まれのドイツ語ラッパー。2007年よりドイツ、オーストリア、スイスなどドイツ語圏で活動を開始。社会批評性の強い〈Conscious Rap〉の流れを汲み、ユーモア、風刺、諧謔などを特徴とする。ドイツを代表するヒップホップミュージシャンたちとコラボレーションを行い数多くの作品を配信するが、自身の素顔については多くを明かしていない。

Eun Oh

それ

名前が聞こえた
確かに僕の名前なのに
珍しい名前なのに
すんなり振り向けなかった

マスクをつけた人たちがそこにいた
口元が消えると目つきが険しい
表情を読み取れないので
互いに警戒していた

耳を探るとマスクがなくなっていた
鼻と口を覆ったまま
人々が一斉に僕をにらんでいた
僕は裸ん坊になっていた

名前が聞こえた

いつの間にか陳腐になってしまった僕の名前が
マスクの隙間をこじ開けて四方から流れてきた
すんなり顔を上げられなかった

街を歩いていて袖が触れると
火花が散り　冷気が漂った
人々が集まる時　広がるものがあった
人々が広がる時　集まるものがあった

誰もその名を口にしなかった

ありふれた名前の人が２人
名前もわからない場所で出会った
目であいさつを交わし
うなずいてすぐに別れた

１日分の〈アンニョン〉*だった

＊アンニョン　元来は「安寧」という漢字語だが、「おはよう」「こんにちは」「こんばんは」「元気?」「さよなら」など、さまざまな意味で使用される。

［翻訳・吉川凪］

呉銀（オ・ウン）▶1982年、韓国全羅北道井邑生まれ。2002年『現代詩』でデビュー。詩集『タッセル邸の豚たち』『私たちは雰囲気が好き』『有から有』『左手は悲しい』『私は名前があった』。朴寅煥文学賞、具常文学賞、現代詩作品賞、大山文学賞を受賞。現在、ソウルで活動中。

Sayaka Osaki

必要な店

必要な店が立ち退いたあと
私たちはしばらく呆気にとられていた
自分の無力にほとほと落ちこみ
それから感謝と追悼を述べ
まだお金で買えるものと
お金で手に入らなくなったものを数えた

必要な店が立ち退いたあと
空き店舗の前を私たちは早足で行き過ぎた
栄養が足りなくて
私たちはいらいらした
私たちは政治の無能を罵った
私たちはミモザの咲いたのを見逃した
私たちはキセキレイの飛来に無頓着になった
必要だった店を不要としていた者を見つけて責め
何か殴るのによさそうな不要なものを手近に探した

だけどそれも長くは続かなかった
私たちには圧倒的に栄養が不足していた
私たちには死が迫っていた
私たちは必死になった
必死に抗議し
必死に応援し
栄養を必死に補い
栄養源を死ぬ気で育てた

挙げ句の果てに私たちは空き店舗を借りた
そして育てた栄養源を売る店をひらいた

誰が必要としているかはわからなかったが
私たちの一命をとりとめた栄養源だった
その頃には扉や窓は禁じられていて
店には扉も窓も存在しなかった
目印に私たちは外壁を黄色に塗った

以前の店とはあまり似ていなかったが
私たちは自信をもって商売をはじめた
私たちに必要な店は
きっとあなたにも必要だと思ったから

大崎清夏（オオサキ・サヤカ）▶1982年神奈川県生まれ。詩人。早稲田大学第一文学部卒。2011年ユリイカの新人。詩集『指差すことができない』で第19回中原中也賞受賞。著書に詩集『地面』（アナグマ社）、『新しい住みか』（青土社）、絵本『うみのいいもの たからもの』（山口マオ・絵／福音館書店）ほか。ダンスや音楽、美術など、他ジャンルとのコラボレーションを多く手がける。2019年ロッテルダム国際詩祭招聘。2020年女子美術大学非常勤講師。

Wontae Eom

新生国、星くず

横浜港近くの新生国が
独立を宣言した

総面積5.4平方キロメートル
人口3711人の超ミニ国家誕生

国の名は
ダイヤモンド・プリンセスだが
単に　クルーズ船　とも呼ぶ

星１つ生まれるということは

星１つ死ぬということ

超新星が爆発するように

自分の身体を犠牲にすること

一日中ひどかった妻の片頭痛が

夕方になってようやく

西の空いっぱいに広がり　赤く爆発した

金星が喜んでお供した

私たちはもともと何でもないもの

何でもない、

どこかの死んだ星のくずかも

もうちょっとだけ痛ければいいのに

※最初の3連は詩人ソン・ジェハク氏がSNSに書き込んだものを借りた。

［翻訳・吉川凪］

厳源泰（オム・ウォンテ）▶1955年、韓国大邱生まれ。90年『文学と社会』に「木はどうして枯れても倒れないのか」などの詩を発表してデビュー。著書に、詩集『針葉樹林にて』『小さな町についての報告』『水滴の墓』『遠い雷鳴のように再び来るだろう』がある。大邱詩協賞、大山創作基金、金達鎮文学賞、発見文学賞、白石文学賞などを受賞。現在、大邱カトリック大学造景学科教授。

Aurélia Lassaque

わたしは泉

あなたの言葉の縁から
泉が湧きだす

あのわななき、覚えてる？
水があなたの唇の間から迸る刹那の

じゃあ、今度は
わたしが泉になる番よ

私の前に起立して
子供のころの太陽に灼かれた
素肌だけを
纏って

さあ、
弄ってわたしを

あなたの一番先端で

わたしは黒い部屋で待っている

山々の頂上を垣間見たあなた、

雪が軋むとき、どんな音をたてるか
知っているあなたを

私の泉の
生誕まで遡って

その合わせ目に唇を押しつけて

あなたに飲ませてあげる
幻の水

［翻訳・四元康祐］

オーレリア・ラサック▶1983年、フランス生まれ。モンペリエ大学でロマンス語を学び、オック語圏のバロック演劇研究で博士号を取得。今や消滅危機言語のオック語とフランス語で作品を書くバイリンガル詩人。2012年から開かれるParoles Indigo festivalの文芸顧問を務めるなど、言語の多様性を積極的に提唱。音楽やヴィジュアル・アートとのコラボレーションも多い。

Wakako Kaku

きみがこの詩を書いている

ヒトの肺を侵しながら聴いている
ヒトの呼吸は生きるためのうた

青ざめる惑星の球面を拡がって気づく
わたしも生き物の列に連なって
歌ううたがあるのだと

もう十分 呪いに値するわたし
誰かのいのちをひねり潰すだけのこの仕業に
きみは別の意味を着せたがる

わたしを向かい合う鏡にして
きみは きみ自身を生まれ変わらせようとする
わたしをヒトへの救いに変容させるために

肺を裏返すようなきみの逆説は
ただ力まかせに見えて
わたしを災いと呼ぶだけの結末を
くりかえすことにヒトは飽きない

　生まれる時の計画年表
　わたしとの出会いは予定通り
　必要なものがもたらされる
　きみの宿題の中身を知っているのは
　きみだけだ

きみが この詩を書いている
きみたちは誰なのか
この答えの尽きない問いかけにおいて
星を見上げてたずねることと
詩を書くことは
似ていると
きみは言う

きみが　この詩を書いている

星々の数を仰ぐように

日々生まれ続けるわたしを見つめて

いま

覚 和歌子（カク・ワカコ）▶山梨県生まれ。作詞家・詩人・音楽家。早稲田大学卒業と同時に作詞家デビュー。以後、smap、平原綾香などポップロックからジャズ、クラシックなどに多く歌詞を提供。2001年宮崎駿監督映画「千と千尋の神隠し」主題歌「いつも何度でも」作詞でレコード大賞金賞、日本アカデミー賞協会特別賞（主題歌賞）。朗読、翻訳、映画監督、脚本、舞台演出、絵本創作、自らのバンドを率いてのシンガーソングライターとしてのライブなど、詩作を軸足に活動は多岐にわたる。最新作に詩集「はじまりはひとつのことば」（港の人）、「2馬力（谷川俊太郎と共著）」（ナナロク社）など、著作、自唱ソロCD多数。2014年より米国ミドルベリー大学日本語学校にて教鞭をとる。夫は落語家の入船亭扇辰。

2020年3月と6月に
東京に新しく出来た
2つの駅を
7月に初めて訪れる

久しぶりに通りへ出ると
植物が、舗道を形成する石のブロックの下で
沸騰していて、
舗道が凸凹に蠢いている
自転車などとても漕げたものではない
歩くとたちまち雑草で足首を切った
街路樹の枝垂れた葉先で耳たぶを切った
ちょっと表へ出ただけで満身創痍になってしまった。

それにしても10メートル歩くごとに
白いかたまりが落ちている
何かのたましいみたい。
息の根をとめてやる、とでもいうように
ことごとく踏んづけて歩く

ずっと家にいたから
部屋にはやたらに本が繁茂して
人間を閉じ込めてしまう
言葉が人間を綴じ込めてしまう駄目にしてしまう。
かろうじて、逃げ出してきた。新しい駅を見に行く。

この間に、ひっそりと

東京に2つの新しい駅がひらいていた

それぞれの駅の巨大なモニターでは

いよいよ始まったオリンピック大会の

競技の映像が燦々と光を放ち流れていて、

しかしどうしてか

選手たちは遅さのほうを競っている。

カニエ・ナハ▶詩人。2010年「ユリイカの新人」としてデビュー。2015年、第4回エルスール財団新人賞〈現代詩部門〉。2016年、詩集『用意された食卓』(私家版、のちに青土社)で第21回中原中也賞。その他の詩集に『馬引く男』(2016年)、『IC』(2017年)、『なりたての寡婦』(2018年)など。装幀家としても詩集を多数手がけている。2017年、NHK BSプレミアムのドラマ『朗読屋』に出演、東京都現代美術館の企画展「MOTサテライト」に参加。2018年は、アーティストの中島あかねとの二人展を開いたり、ダンスユニットのかえるPのダンス公演に出演したり、米アイオワ大学、フィンランドの詩祭等で朗読パフォーマンスをしたりと、活動の領域を広げている。

Hanna Kang

想う人なければ空は鮮やかな飛行機雲を作らないだろう

カン・ハンナ▶歌人・タレント。韓国のソウル生まれ。2011年来日。第62回「角川短歌賞」佳作、第63回「角川短歌賞」次席、第64回「角川短歌賞」佳作となり、３年連続の入選。第一歌集『まだまだです』(2019、KADOKAWA)を出版。史上初の外国人歌人として日本で活動を広げる。

Wookjin Kim

老母日記－2

琵瑟山（ピスルサン）の麓の良洞（ヤンドン）村

新型コロナウイルス流行の噂に　老人いこいの家まで閉まってしまい

路地は時折　猫が食べ物をあさりに来るだけ

春が来て　レンギョウや桜が咲き誇っているのに

この季節にはヨモギを採り　市場で売って稼いでいた母

疲れたのか　気苦労でもあったのか

この数日食事も排泄もできていないという　電話をもらい

あわてて救急室に連れてゆき

90過ぎの体内を小さな鏡ですっかり覗いた
胃も大腸も全部詰まって　あちこち疑惑のでこぼこだらけ
何カ月も持たないだろう
そんな陰鬱な結果など気にかけず
医者はすぐに点滴をつけ　3日絶食すれば治りますと
絶妙な診断を下した
ああ　そりゃそうさ
90年間　入院なんてしたこともないのに
コレラだとでもいうのかい　口を布で塞いでこんな所に閉じ込めて
あたしゃこれからヨモギ採りに行くんだと
トイレに入り大小便でズボンをびしょびしょにして
ああ　すっきりした　と宣(のたま)った

［翻訳・吉川凪］

金旭鎮（キム・ウクチン）▶1958年、韓国慶尚北道聞慶生まれ。2003年に『詩文学』で「道成庵に行く道」などの詩が当選してデビュー。著書に、詩集『琵瑟山の四季』『幸福チャンネル』『実に静かな革命』などがある。18年、韓民族統一文芸祭典優秀賞受賞。韓国文人協会達城支部会長、大邱詩人協会理事などを歴任し、現在は韓国詩文学文人会理事を務める一方、韓国文人協会と韓国現代詩人協会の会員として大邱を中心に活動中。慶北女子商業高校教員。

Sangyoon Kim

すべてのものは
その日を夢見て泣く

――COVID-19の日々

窓がある　外から地球を見ると胸ごとに窓がついている　だから青く見える

胸に咲くピンク色の花　息と温かさと水分とエネルギーを放つ　天国と地獄が入り交じるこの地　耐えるにはそんな花が咲かなければいけない　耐えながら窓の外の空を見上げる

いつも泣いている　月から眺めれば青く見えるのはそのせいだ　すべてのものがその日を夢見て　岩と動物　花と人が一緒に泣いている　泣くことで癒された生命として　生命であり続けるために　生と死がからみあっている今を　耐えようと　地球は涙の防護服を着て　停止した時間の中　暗闇と闘っている

離散家族になってふた月めだけど　夕暮れ時の上弦の月　きらきらする明星は相変わらずだな　今日は窓を大きくあけて食事をする　泣きながら壁の向こうを夢見ているから　落ち着いて　そして大胆に*

＊落ち着いてそして大胆に　韓国の疾病管理本部公式サイト掲示板「コロナ19　今日のひとこと」（2020年4月3日）から引用した一節。

［翻訳・吉川凪］

金尚琉（キム・サンユン）▶1964年、韓国江原道寧越生まれ。2002年『文学世界』でデビュー。著書に、詩集『あなたの手は温かい』『シュレーディンガーの猫』があり、『13時』同人として活動している。現在は教師を辞職し、大神大学神学大学院に在学中。

Soyeon Kim

嘘みたいに

薬局に行った

身分証を見せて住民登録番号を入力すると　薬剤師は

マスク３枚売ってくれた

手を消毒するアルコールはありませんか

そう尋ねると薬剤師が答えた

うちも探してるんです

済州島で教師が死亡したと

ビルの電光掲示板でニュースキャスターが伝えていた

マスクをして授業していた小学校の先生だった

私は散歩することが多くなった

私は料理がうまくなった

私の時間はやたらと増えた

祭りが消えた

葬式が消えた

隣の席が消えた

パニック映画の予感ははずれた

灰色の残骸だけが残された都市にはならず

嘘みたいに青い空と真っ白な雲で毎日の朝が始まる

私は窓を開けた

テラスでアサガオがコスモスに手を巻きつけていた

前の家の屋根にチョウゲンボウ* がとまっていた

ムンバイに現れたフラミンゴに

レイン島に現れたアオウミガメに

サンティアゴに現れたピューマに

手を差し伸べ　フェイクの握手をしてから

凛としたメタセコイアの林に消えた私の後ろ姿を

誰かがカメラに収めた

＊チョウゲンボウ　ハヤブサ科の小形の鳥。

［翻訳・吉川凪］

金素延（キム・ソヨン）▶1967年、韓国慶尚北道慶州生まれ。93年『現代詩思想』に「私たちは崇める」などの詩を発表してデビュー。著書に、詩集『極限に達する』『光たちの疲労が夜を引き寄せる』『涙という骨』『数学者の朝』『iに』、エッセイ集『心の辞典』『シオッの世界』『一文字辞典』『私を除いた世のすべて』『愛には愛がない』がある。露雀文学賞、現代文学賞、陸史詩文学賞、現代詩作品賞を受賞。現在、ソウルを中心に活動中。

Hyesoon Kim

宇宙母（うちゅうはは）

宇宙は無限だがその中に楽（らく）はない（誰かの名言）

この卵の中には私しかいない（ある卵の黄身の名言）

母は水が飲みたい

宇宙母は水に触れたい

母は窓の外の青空にダイビングしたい

宇宙母は黒いチャンネルを回してうちの母を視聴したい

母は最後の預金でアフリカに井戸を掘りたい

宇宙母は黒い井戸を抜け出したい

母は病院から家に帰ることを願い

宇宙母は母を宇宙に連れてゆくことを願う

母は虚空に手を伸ばしてもがき

宇宙母は少しずつ歩み寄り

宇宙母が近づくほど母は苦しみ
もう苦しまないですむ場所に行きたいと思う

遥かな宇宙　海の砂みたいにたくさんの星のどこかから
再びあなたを見ることができるだろうか

母は電話で私にそんなことを言い
宇宙母は母の身体を砕き　星たちが無限に

母の卵を割り　母に代わって明るい黄身みたいに横たわろうともくろむ
遥かな宇宙の黒い母は私に　娘よ　娘よ　あたしのかわいい子と呼びかける

［翻訳・吉川凪］

金恵順（キム・ヘスン）▶1955年、韓国慶尚南道蔚珍生まれ。ソウル在住。79年『文学と知性』でデビュー。著書に『また別の星で』『父が立てたカカシ』『ある星の地獄』『私たちの陰画』『私のウパニシャッド、ソウル』『悲しみ歯磨き　鏡クリーム』『花咲け豚』『死の自叙伝』『翼の幻想痛』など十数冊の詩集と詩論集があり、金洙暎文学賞、未堂文学賞、大山文学賞、グリフィン詩賞など多数の文学賞を受賞している。ソウル芸術大学文芸創作科教授。

Nobuko Kyo

カミを殺す話

〜コロナの夜に〜

そんなに　おどろかさないでください
朝鮮人になつちまいたい　気がします
（折口信夫「砂けぶりⅡ」より）

教え一つ。みすぼらしい見知らぬ旅人が夜中に家の扉を叩いたなら、けっして追い払ってはならない、旅人には温かい食べ物と柔らかい寝床を差し上げなさい、旅人はツバメの姿をしていることもある、牛の頭を持つ人間の姿のこともある、地を這う虫の姿のこともある、目には見えない気配のこともある。彼らは異人（まれびと）。またの名をカミ。おろそかにすれば厄病がはびこるという。（カミとはカビでもあるのだそうです。カミは野の葦牙（あしかび）の如く萌えあがる）

教え二つ。人の体には八万四千の穴がある、その穴を目には見えぬモノたちが行きかい、その穴でモノとつながり、命はモノで蠢いている。そもそも人は穴なのだ。けっして穴を塞いではならない。（モノとはモノノケでもあり、カミのまたの名でもあり、命そのものでもあるのだそうです。モノを粗末にしたらバチが当たるよ。と言ったのは南島のおばあ）

思い出すのは百年前にこの国を襲った大地震。そのとき、異人もモノも山川草木鳥獣虫魚もすべてがカミの南島を旅していた詩人がひとり、自分もすっかり異人の心になったまま、崩れ落ちたこの国の真ん中の町のわが家をめざしたのです。町は殺気立っていた、この災厄はこれまでのカミ殺しの報いではないかと町全体が怯えていた、(今から百五十年前、この国は、これからは異人もモノももはやカミではない、追い払ってもよい、使い捨ててもよい、殺してもよいと宣言しております。これを人は文明開化と呼ぶ)、怯えはたやすく憎しみにすりかわり、町では手当たり次第のカミの大虐殺が繰り広げられました。川には水ぶくれした死体が浮かび、道端には血まみれの死体が転がり、子どもが死体を棒で叩いている。ぼろぼろの旅人の姿をした詩人もあっという間に男どもに取り囲まれ、竹槍を突きつけられ、おまえはカミだろう、厄病をまきちらしているだろう、カミでないなら人の言葉をしゃべってみろ、ガギグゲゴと言ってみろ、ジュウゴエンと言ってみろ。(カミの口から放たれる最初の音は、いつでもかならず澄み切った清い音)。

詩人は泣きそうになりながら言いました。

　そんなにおどろかさないでください。

詩人はカミの死を寿ぐバンザイの声に震えました。

　おそろしい呪文だ。

詩人は異人の声で呟きました。

　おん身らは誰をころしたと思ふ？

あれから百年たちました、文明開化の百五十年が過ぎました。世界はますます素晴らしく怯えて憎んで殺気立っております。あなたは誰をころしましたか。あなたの穴は蠢いていますか。あなたは誰にころされますか。

旅人は今夜もあなたの扉を叩くでしょう。

姜信子（キョウ・ノブコ）▶1961年、神奈川生まれ。著書に『棄郷ノート』（作品社）、『ノレ・ノスタルギーヤ』、『ナミイ！八重山のおばあの歌物語』、『イリオモテ』（岩波書店）、『生きとし生ける空白の物語』（港の人）、『声　千年先に届くほどに』、『現代説経集』（ぷねうま舎）、『平成山椒太夫　あんじゅ、あんじゅ、さまよい安寿』（せりか書房）など多数。訳書に、李清俊『あなたたちの天国』（みすず書房）、カニー・カン『遥かなる静けき朝の国』（青山出版社）、ピョン・ヘヨン『モンスーン』（白水社）、チョン・ジョンファ『長江日記　ある女性独立運動家の回想録』（明石書店）、ホ・ヨンソン詩集『海女たち』（新泉社）。編著に『死ぬふりだけでやめとけや　谺雄二詩文集』（みすず書房）、『金石範評論集』（明石書店）など。2017年に『声　千年先に届くほどに』で鉄犬ヘテロトピア文学賞を受賞。

Chris Song

雨降る夜の憂鬱

目覚めれば不吉な暴雨。
窓ガラスに飛び散る水滴。
輝きと破壊の間を
濡れそぼった稲妻が駆け抜ける。

埃まみれのガラスに
雨粒が叩きつけられた後でも
明日窓枠は陽光を
受け止めることができるだろうか？
途切れがちな静けさのなかで、立ち去ろうか、
それともここに残ろうか迷っている
友人のことを思う。

リビングの片隅のレモンの木は
いい匂いのする最後の葉っぱを

落としてしまった。
枝と枝が寄り添い、棘が撓んで
不安げな果実を守ってやっている。

散らかっているあれやこれやを片付ける。
思いは例によって書架の間をうろつきまわる。
叫びのなかに落としてしまった巻き尺を
再び見つけることができたら
僕は不正と正義の間の距離を
測ることができるだろうか？

通行規制の金属柵が魂の広場を取り囲んでいる。
残虐な旗が隆々と掲げられる。
新しい秩序とともに鳴り響く雷鳴。
天に墨が飛び散り、匕首の刃が浮かび上がる。

［翻訳・四元康祐］

宋子江（クリス・ソン）▶香港嶺南大学で翻訳研究の博士号を取得後、学術誌の編集に携わる。『Rifle and Lily』（2018）など4冊の詩集のほか、多くの訳書を手掛ける。オーストラリアのBundanon作家レジデンスへの招聘、イタリアのNosside国際詩賞の受賞など、海外での活動も旺盛。『聲韻詩刊 Voice & Verse Poetry Magazine』の編集長および香港国際詩祭のディレクターを務める。

GÖKÇENUR ÇELEBİOĞLU

何があっても
決して灰の海に
櫂を手放すことなかれ

その年の四月は八カ月間続いた。言語は我々の怠惰の最たるものだ。実際に海を見ることもなく、その場に座ったままで「海」と書いたりする。彼らには分かるまい、木を、石を、その都度新しいものとして見ることの大変さは。朝仕事へ出かける君に私は言った、何があっても決して灰の海に櫂を手放してはならないと。私たちが昼も夜も泣いて暮らしているなどと思わないでくれ。泣くことも配給制なのだ、時々妻への割当てを泣かせてもらったりもするが。昨日の晩は夜通し犬が海に向かって吠えていた。朝になると、霧をついて島が隆起してくる。こういうことを歴史家は本に書くのだろう。この町が死者を海に捨て始めたのは、四月に入ってからのことだった。

［翻訳・四元康祐］

ゴクチェナー・セレビオウグル▶1971年、イスタンブール生まれ。イスタンブール工科大学電気工学部を卒業後、イスタンブール大学で経営学の修士号を取得。90年以降、詩をトルコの数々の雑誌に発表するほか、翻訳者としてポール・オースターや日本の俳句集などをトルコ語圏に紹介。詩の翻訳ワークショップ、ポエトリー・フェスティバルの共同監督なども務める。

Tahi Saihate

私の家

私はコロナを忘れるのだろうか。

ワクチンができたら、友達がだれ一人かからなければ、

仕事を失わなければ、家族がかからなければ、

私はコロナを忘れるのだろうか、

忘れるだろう、ワクチンができなくても、友達が感染しても、

家族がかかっても、

私はコロナを忘れるだろう、そのとき、

それらは個人的な痛みとして私の川に浮かんでいる、

あなたたちが語るコロナなんかではない、

血が吹き出した心が、名前などいらない、

あなた方がかぞえる指先に見つかりたくないと願っている、

感染者として観察される時間が屈辱のように感じる、

それは死だ、関わるものだけのものでいてくれ、

だれがあなたに、墓場を教えるだろう、

だれがあなたに、その人の思い出を、

よい人であったというエピソードを知らせるだろう、

あなたには立ち入れない場所に私たちは来てしまった、

そのとき、あなたたちの声は遠く聞こえる、

「コロナで亡くなることは悲劇だ、家族に会うこともできない」

と語られている間、亡くなるその人がこれは悲劇だったと自ら、

語ることはない。死人に口なし、ですね。花を手向けることの意

味を知らない、沈黙せよ、ということだ。死者に花を手向ける意

味を、もう誰も覚えていない。

縁側に座っているときに聞いた風の音、

震災に遭った子どもがひと月後に見ていたもの、

自分が被災者であることは忘れていた、

たぶん被災した瞬間に抜け落ちた言葉がいくつもある、

自分には語れないものが多すぎると気づいてしまった、

死が行き交うなかで、

生きている私に死を語ることができるわけもない、

コロナ、コロナ、という声が聞こえて、返事をしなかった、

そのうち、私はその言葉を忘れて、

小さな部屋の中で、消えないものを見つめ続けて、

いつかお腹がすいて、部屋を出る、

誰にも、部屋にあるものを知らせずに、語りながら、

それでも夜にはこの部屋に帰ってくるのだ。

だれがあなたに、墓場を知らせるだろう、

だれがあなたに私の家を知らせるだろう、

あなたは、コロナを忘れるだろう、

あなたはあなたの家に帰っていく、

あなたの気持ちがわかるなど、もうだれも言わない、

月も大地も雲も山も竹林も、青白く、人の顔のように見える。

「私はあなたが黙るとき、共に黙りたいと思う。」

その言葉が恐ろしくて寂しくて、ありがとうと言うしかなくて。

追い詰められた人びとは、美しく正しく、

あなたは、孤独を悪だと思った。

最果タヒ（サイハテ・タヒ）▶1986年生まれ。中原中也賞・現代詩花椿賞などを受賞。詩集に『グッドモーニング』『夜空はいつでも最高密度の青色だ』『恋人たちはせーので光る』、エッセイ集に『きみの言い訳は最高の芸術』『「好き」の因数分解』、小説に『星か獣になる季節』『十代に共感する奴はみんな嘘つき』など。

Yumio Sato

寄物陳思歌三首

2020年3月、その半年前から申しこんでいた湯田温泉の宿をキャンセルせず、乗客のまばらな新幹線で訪れる。中原中也記念館でのトークイベントは中止になったけれど展示を見ることはできて、館長さんがつきっきりで案内してくださった。せめてもと、お土産をたくさん買う。中也の筆跡で「空」と記された缶バッジは、空よりも水たまりのつややかさ。

死んだっていいよう……

青い缶バッジ載せたてのひらから墜ちてゆく

4月、生業がリモートワークに移行。校閲職なので在宅で問題ない、などとはとうてい言えない自室で、卓上にも床にも本が積みあがり、大判の校正用紙を広げる場所がベッドの上しか残っていない。ローテーブルを買い、ベッドで仕事をするようになって睡眠時間が増えた。木製に見えるテーブルだが、年輪ではなく節のあとがほうぼうに浮いている。

竹だった（風を知ってた）テーブルは

すこしすっぱい光の匂い

5月、短歌月刊誌をひらくと、作品中に「ウイルス」「マスク」という語が散見される。目に見えないウイルスは怖い。公共の場所でマスクをつけていないと、他人の視線も怖い。疫病禍は戦争ではないはずなのに、打ち勝つ、負けない、といった言説に巻き込まれてゆく。中傷がもとで女子プロレスラーが亡くなった。戦争ではないはずなのに。

はつなつの花の死じきに忘れそう

みんなマスクを顔に咲かせて

佐藤弓生（サトウ・ユミオ）▶1964年石川県生まれ。2001年、「眼鏡屋は夕ぐれのため」で第47回角川短歌賞受賞。著書に歌集『薄い街』『モーヴ色のあめふる』などのほか、詩集『新集 月的現象』『アクリリックサマー』、掌編集『うたう百物語』、共著・共訳書に『現代詩殺人事件』『猫路地』『怪談短歌入門』『怪奇小説日和』などがある。

Xiaoxiao

2020年の痛みに触れる
―プーシキンに

夜、5月の砂埃（すなぼこり）

私の頸椎（けいつい）はギシギシと響き

刺すような痛みとウィルスが

一面灰色の鏡に磨きをかけて

今年を暗黒の中に浮かび上がらせていた

新型コロナが人類の肺へと吸い込まれ

世界は息を切らして、争い合い

高デシベルの狂乱を経てゆっくりと

静けさを取り戻していった

いくつかの思い出は

ツァールスコエ・セローの小道に散らばっていて

寒くなると、あなたの太陽はロシアから

慌ててやって来る道半ばにあって

コーカサスの虜の牢獄から

私の読むあなたの海へと転がり落ちてくる

二月から

私は時間のマスクをつけた

パンっ！　死はあなたの決闘の銃口から

立ち上るひとすじの煙

私は三月、四月と埋葬して

五月はいままさに悲しみの涙を流している

私は選び出した

仮定、暴君、戴冠、真珠

監視、断崖、訃報、戦士、荒れ果てた寂しさ

自由への賛歌……放逐

人々が受け入れがたいと感じるあなたの言葉の数々

骨や砕石（さいせき）、針の先

ガラスの欠片、棘に似たようなものを拾い集める

引き潮の後に現れるこうした真相によってこそ

2020年に人類が感じた痛みに触れられるのだ

［翻訳・倉本知明］

瀟瀟（シャオシャオ）▶中国の詩人、画家。著書に、詩集『Xiao Xiao Poemas』（中国語とスペイン語の対訳詩、ヤセフ訳）、『憂傷的速度』（韓国語訳、朴宰雨訳）、『薏米的種子』（ドイツ語訳、クビーン訳）など、中国国内外で多くの詩集を出版している。その詩は英語、日本語、フランス語、ペルシア語、アラブ語、バングラディッシュ語などに翻訳され、聞一多詩歌賞、ルーマニア・アルゲージ国際文学賞など、国内外で多くの賞を受賞、ルーマニア名誉市民の称号を与えられる。2020年、瀟瀟の名前はヨーロッパ最大の文学辞典『外国現代文学批評辞典』にも収録された。

Jacky Yuen

鎮魂歌からの抜粋

最初は塩、それから壮大な物語。
石はどんどん別の顔を増やしてゆく。
眼を失うと、人々は叡智を手に入れる。
塩の自由は束の間のもの、
私たちがこの世から歩み出るとき
岸辺の花々はついに高濃度の塩分を
取り除くことができるだろう。

木の幹が切り裂かれると、
切り口から石が転がり出てきた。
痛ましい夜回りの番人の数が増えてゆく。
死んだ男が、後ろ向きに歩いて
百の精霊を生む、するとそれらは名詞のロープで
自分のからだを鞭打ち始めるのだ。

私たちの愛が尽き果てて、果実が
地に落ちるまで、
赤ん坊は軋む氷のように泣くだろう。
夜の間に伸びる私たちの犬歯を、
海は捻じれた角度から音もなく打ち砕く。

十年か二十年ほど続く喪。
「火薬のフューズを秒速1フィートで
燃やさなければならないとすれば」
どこに着火剤を加えるべきか？
革命の場面から抉り出されたあれらの眼球を、
どこに？

この世の塩はもうすぐ君の孤独のなかへ
溶かされるだろう。
死者たちへの執着を放送するテレビのなかで
鎮魂歌は繰り返される
化粧品と即席めんのＣＭとともに。

地獄のホットラインは生きている人間たちの
話し声でいっぱいだ。
遭難続きの山が登山者たちの靴跡で
覆われているように。
大鷹から抜け落ちた羽根が
天使のふりをするように。

……あれが地平線だ。
輝く廃墟のなかにはマスクをつけた子供たち。
彼らは歌う、「わたしたちは人間の塩、
わたしたちはこの世の塩」と。
光は天国まで伸びている、
ネイザンロードの街灯さながら。
私は宣言する、遠からず
言語システムは完全に更新されるだろう。

もう地平線に辿り着いただろうか？
なのにまだ世界は変わらないのか？

［翻訳・四元康祐］

阮文略（ジャッキー・ユエン）▶香港中文大学で生物化学の博士号を取得後、現在は香港の高校で生物を教える。『A Fox Looking Back』『A Blueprint of Barren Lands』(2018)など、5冊の詩集を発表している。

Josep Rodríguez

ある日記の断章

1.

あれは剥がれた空

それとも雲？

答えなくても構わない。

心に留めおく——

生きているという驚きを保つこと。

窓を開ける。

風が別の日の胸郭を広げる。

「別の」という言葉は樋嘴(ガーゴイル)だ。

内部で湿気が石を腐らす。

2.

シーラカンスの皮膚のようなこの星空は

ぼくを幼少期へと引き戻す。

かつては線の引かれた紙に書くことを学んだ

今は詩の中に秩序を探す。

ぼく自身への郷愁。

(記憶がプレイバックする。)

教えておくれ、
おまえはどこの風景?

5.
ウォレス・スティーブンズ曰く、
完全な詩は抽象的でなければならない。

だが言語もまたウイルスであり
突然変異する。

7.

もし毎日が始まりも終わりもない
橋に似ているなら。
もし全てが繰り返されるなら。不快感が、
炭でできた矢のように、
触れるものを汚すなら。

焦らさずに答えてくれ、
あれは剥がれた空
それとも雲？

［翻訳・久保恵］

ジョセップ・M・ロドリゲス▶1976年、バルセロナ県スリア生まれ。著作に、22歳の時に出版した『Las deudas del viajero』など7冊の詩集、詩選集『Ecosistema』(2015)がある。作品はスペイン語圏の詩人のアンソロジーに収録されるほか、数カ国語に翻訳され、国際的な文学賞を多数受賞。日本の俳句が西洋文学に与えた影響に関する評論や伝記、歌詞、翻訳などの業績もある。

Stanislav Lvovsky

無　題

カウントダウンは　　　まだ始まっていない

だが日々はすでに　　　体勢を整えている

敵陣を 制圧せよという　　命令が発されるや否や

彼らは　突進するだろう　　　躊躇なく

騎兵隊を引き連れ　　　火砲に加勢され

涯知れぬ帝国の 威光を纏って

そして遂にカウントダウンが　終わったとき

日々のあるものは　　　家路を辿り

また別の日々は 雑草に覆われ

　　　塚の下へ

だが今はまだ　カウントダウンは

始まってすら　いないし

我々にはかくもたっぷりと　長い夏の日々が与えられて

目に見えないほど　ゆっくり

誰にも気づかれず　週から週へと　連なってゆく

七月の一旬　はるか彼方の夜明けの光

だが鳥のなかには　もう黙りこんだものもいる

囀りは熄んだ　ただ聞こえないのではない

完全に死に絶えたのだ　かつて一度もこんなことはなかったのに

［翻訳・四元康祐］

スタニスラフ・ルヴォフスキー ▶ 1972年生まれ。モスクワ州立大学の化学科を卒業後、広告、ジャーナリズムの世界へ。 現在、カルチャーイベントのマネジメント、ロシアのインターネットメディア『OPENSPACE.RU』文学セクションの編集長を務める。著作に詩集『ホワイト・ノイズ』(1996)、『3カ月間』『母国をめぐる詩』(ともに2003)、短編集『花と犬のことば』などがある。詩は英語、フランス語、中国語、イタリア語、グルジア語などに翻訳され、数々の文学賞も受賞。

Sooyeo Son

自分が怖い

戦争は国を南北に分かち家族を引き離した　それでも半世紀過ぎて再会できる生存者もいた　天然痘だってどんな癌だって患者の顔ぐらい見られる　最後の旅立ちを見送ることはできるのに

約70年前　じいさんばあさん父さん母さんと女の子たちが静かに暮らしていた家に　男の子ができたと大騒ぎになった　戦争中で食べられないのが当

たり前だった時代　弟をおぶって友達の所に遊びに行く　その背中に大小便を何度も漏らした　おぶってくれた姉さんが　春分の日　あの川を越えた　ヨルダン川だか兜率天（とそつてん）だか　議政府（ウィジョンブ）市の療養病院で旅立つ準備をしているのに　同じ幹から出た枝が折れるのに　残った枝は知らぬふり　巣の中で身じろぎもせず　黙って眺めている　目に見えない微細なウイルスが道を塞いでいるなど言い訳にもならない　そんな自分はコロナより図々しく　もっと怖い

　おお　なんと痛ましいこといたわしいこと　苦しい悲しい　二度と引き返せない遠い旅に出てしまうのだね　さよなら姉さん　父さん母さんに会って安らかに眠っておくれ

［翻訳・吉川凪］

孫水如（ソン・スヨ）▶1953年、韓国慶尚北道慶州生まれ。文学博士。2001年『文学空間』と『韓国詩学』に詩を、19年『月刊文学』に文学評論を発表してデビュー。韓国文人協会、国際ペンクラブ韓国本部などの文学団体で要職を歴任する。著書に『反芻』『豆がらがついていても構わない』など6冊の詩集のほか、『国語語彙論研究方法』などの学術書がある。ペン文学賞、崔南善文学賞などを受賞。現在、大邱に在住し、全国を舞台に創作活動をしている。

Daniela Varvara

呼吸の練習

閉ざされし
道の脇には
蟻の列

閉鎖された道路
緑の歩道には
蟻の長い行列

隔離され
独り寄り添ふ
閨の月

隔離されて
寝室の連れには
月光のみ

引きこもり
庭木抱きしめ
恋の花

自宅に閉じ込められて
花咲く木々を抱けとでも？
活気ある生活が恋しい

欠航便
コウノトリのみ
巣へ帰る

キャンセルされた航空便
それでもコウノトリたちは
巣への帰路を見出した

益のなき
テレビを売りて
夏の本

人騒がせなニュース
テレビを売って
夏に読む本を買おう

罌粟一面
去年の写真の
汝と我

ポピーの花に囲まれて
貴方との写真
去年だった

演奏会
中止の張り紙
雲雀鳴く

キャンセルされたコンサート
そのポスターの隣で
雲雀が囀りの練習をする

入院待ち
忍び込むのは
燕のみ

満床の病院
周りの公園は
燕らにのみ侵される

母の犬
マスクの我に
吠ゆるなり

夕方の散歩
ああ！　母の犬でさえ
マスクの私に吠える

隔離中
賑やかし恋ふ
巣に隠れ

制限下の中
巣に隠れる
賑やかな生活

＊今回掲載した十句について
ルーマニア語で「5. 7. 5」のリズムを持つ俳句を作者自ら英訳し、
さらに翻訳者が逐語訳ならびに日本語での音数を整えた俳句調に訳出した。

［翻訳・三宅勇介、四元康祐］

ダニエラ・ヴァルヴァラ▶詩人、文芸評論家。ルーマニア作家協会ならびにコンスタンツァの俳句結社のメンバー。心理学博士。詩、批評、論文、文学年代記、俳句などを数々の文芸誌とアンソロジーに発表している。科学学会や文芸フェスティバルに多数参加。

私には芸術なんて分かりません

Winslow Homer. 'Undertow',1886
Page URL:https://commons.wikimedia.org/wiki/File:Winslow_Homer_-_Undertow.jpg File URL:https://upload.wikimedia.org/wikipedia/commons/f/f7/Winslow_Homer_-_Undertow.jpg
Attribution:Winslow Homer / Public domain

芸術についての知識を持ち合わせていない女が、ウィンスロー・ホーマーのこの絵(「引き波 Undertow」,1886)についてコメントを求められる。彼女は言葉少なに、「驚きました。細かい所とか。全部。どうしましょう。私には芸術なんて分かりません、お分かりでしょう?」美術批評家が答えて言う、「この絵の主題は互いに助け合うということです。私たちひとりひとりがその一部であるこの世界における苦難。私たちは私たちを圧し潰そうとする力と闘うのです」。彼女は絵に顔を近づけて仔細に眺める。それから彼女自身の苦難について語り始める。その言葉は力強く、正直で、決まり文句はひとつもない。私は彼女の言葉に胸を打たれる。W.H.オーデンは、詩においても顔の皺においても行数の多い人だったが、名人と呼ばれる者はみな痛みを知っていると言ったことがある。痛みを、詩に書くのではなく、哲学したりあれこれ思想をひねくり回すのでもなく、自らが実際に生きることによって肌身で知っている人たちがいる。私の街は恥にまみれていて、人々はマスクを買うために行列を作っている。いつの日か、今の状態を振り返って、なんと馬鹿げた話だったのだろうと話し合うことができるだろう。ホームレスの老人のなかには、ある日目を覚まして、誰もがマスクで顔を覆っていることを不思議に思った人もいただろう。友人と情報のネットワークと、お金の入った財布がなければ、置いてきぼりにされるのがおちなのだ。財力と権力を持つ者は慌てずに前に進んでゆくけれど。

十の質問

1

世界中の人々から一人だけ夕食に招くとしたら、誰を選びますか？　誰もが移動を禁じられている今、一夜だけの伴侶として。

2

コロナの大流行のなかでも有名になりたいですか？どんな形で？

3

ズームとか電話をかける前に、自分の言うべきことをリハーサルしますか？　たとえば、あともう三つしかトイレットペーパーがないのだと。たとえば、寂しくて気が滅入っていると。たとえば、時々街の静けさがあまりにもうるさく鳴り響いているのが聞こえて、その場でポッドキャストをするのだと。たとえば、まだ読んでいないのにもう読んだふりをしていた本のリストをついに作ってみたと。たとえば、もう慌ててヘアドライヤーで髪を乾かす必要はなくなってしまったと。

4

完璧な「家ごもり」の一日をどう過ごすのですか？

5

最後にひとりで歌を歌ったのはいつですか？　十分前？　最後に誰かに向かって歌ったのは？　喜んでもらえましたか？

6

もしも九十歳まで生きられて、その最後の六十年間を三十歳の時の心か体のまま過ごすことができるとしたら、どちらを選びますか？　心、体？

7

この疫病の大流行をどんなふうに自分が生き延びることになるか、ひそかな予感がありますか？

8

あなたとあなたのパートナーが共有しているものを三つ挙げてください。ただし、「遠隔勤務」と「どんな種類のインスタントラーメンにももう食べ飽きた」以外のもので。

9

いま何に対して最も深く感謝の念を感じていますか？　病院の医療従事者たち？　それともマスクと肌に優しい石鹸？

10　もしも他人の育ち方を思いのままに変えられるとしたら、何をどう変えますか？

［翻訳・四元康祐］

何麗明（タミー・ライ・ミン・ホー）▶香港大学で修士、ロンドンのキングス・カレッジで博士号を取得し、現在は香港バプティスト大学にて詩学、フィクション、現代劇を教える一方、香港PENの会長を務める。また香港で最初のオンライン文芸サイト「Cha: An Asian Literary Journal」を創刊し、「Hong Kong 20/20: Reflections on a Borrowed Place」（2017）を発刊するなど、編集者および翻訳者としても広く活動。2015年に発表した第一詩集『Hula Hopping』で香港芸術評議会から「Young Artist賞」を授与されている。

Anmin Chu

夜の歌

両手を伸ばしたその距離が
僕たちの安全な距離
安全がこんなに遠いものだなんて
これまで知らずにいた
いままでずっと
互いに抱きしめ合うことが安全だと思っていたのに

いまは
僕から離れて、もう少し遠く
空気中には見慣れない敵がいて
肉眼では見透かせない欲望がある
幾千万もの山々や道を越え、果てしない隙間から襲
いかかってくるそれを
たった一枚のマスク（フェイスシールド）で
防ぐしかない

亜熱帯の島で起こった小さな叫び

感染判断ぎりぎりの37.4度から熱が下がらず

心に枷をかけ

その身を監禁した

合法的な孤独の中

最終列車は往来を繰り返していた

僕たちはどこへ向かっているのだろう

くしゃみと咳が交互に行われる迷いのなかで

四方八方からうらぶれた鐘の音が聞こえる

ゆらゆらと立ち上る微かな光の中で

神に人間、禽獣に悪魔たちは

誰もがみな遠い不毛地帯にあった

［翻訳・倉本知明］

初安民（チュ・アンミン）▶1957年生まれ。国立成功大学中国文学部卒。中学校教師、雑誌『聯合文学』の総編集長などを務める。現在は雑誌『印刻文学』総編集長。著書に、詩集『愁心先酔』『往南方的路』『世界上距離陸地最遥遠的小島』などがある。これまで編集した書籍は3000冊余り。金鼎賞最優秀編集賞、金石堂年度出版風雲人物賞、成功大学傑出交友賞など受賞。

Huadong Qiu

成長する力

宇宙は広大無辺で、

ウィルスは少なくとも

三十五億年の歴史を持っている。

それに比べて、

人類の歴史は圧倒的に短い。

これは私たちが生まれてから

必然的に向き合わざるを得ない境遇なのだ。

だが人類の文明は高みを目指し、

希望、良識、自信や勇気といった

ある種互いを繋ぎ止められるものの存在を、

信じねばならない。

こうした古い倫理が、我々を

ウィルスに打ち勝たせ、

新たに息つかせ、

大自然の中にある万物とともに

成長させてくれるのだ。

［翻訳・倉本知明］

邱華棟（チウ・ファドン）▶1969年、中国新疆生まれ。18歳で最初の小説集を出版。武漢大学中国文学科卒業。雑誌『青年文学』『人民文学』の主編、副主編を務める。魯迅文学院常務副院長、文学博士、教授。これまでに長編小説を12作、中短編小説を200篇以上発表する。小説集のほか、映画、建築に関する評論、散文エッセイ集、旅行記、詩集など、出版された書籍は50種以上。そのほか『金瓶梅版本図鑑』『紅楼夢版本図説』『電影作者』など、学術書も出版している。

I Chin Chen

2020、見えないそれ

いったい何を使ってあの
目に見えないそれを
追い払えばいいのか
風の音（ね）が響くとき
低く沈んだ雷鳴が名もなき場所で
途切れ途切れに轟（とどろ）き
見えないそれは血なまぐさい息を吐いて
目に見えない死に染まった腐臭を放っている
恐怖は低く沈んだひとすじの雷鳴で
僕たちの口や鼻を塞ぐが
その目まで塞ぐことはできない

何を使ってあの
目に見えないそれを取り除けばいいのか
孤島は暗闇で意味もなく漂流し
目に見える人間から隠れることはできても
いたるところに蔓延（はびこ）る
目に見えないウィルスからは
その身を隠すことはできない
噂は個別に密閉された空間からやって来て

ロックダウンされた都市に暮らす人々は
水や食料を奪い合う
倒れた者たちは
肺が空っぽになったのだと叫んでいた

　風の音がパンデミックと
　歌声を伝え来る
　“We Are the World”
　かつて飢餓に苦しむアフリカのために
　歌った歌が
　いまでは果てのない濃霧に向けて
　歌われている

　皮膚の色や国籍に関係なく
　血を滾らせて声をあげていた
　“Do not go gentle into that good night”
　黎明が死にゆく者に向かって大声で泣き叫び
　黄昏が感染者に向かって切実に呼びかけていた

あの快い夜のなかへおとなしく

流されてはいけない

奔流が鼻腔で共鳴する

高熱は長い間死体安置所に留まっていたが

世の人々の顔にはみなマスクがかけられていた

目に見えないそれは窒息へ至る道に

身を隠していたが

誰かが呼吸さえすれば

丸くあるいは尖ったその声は鐘をつくように

空の果てには歌を

胸の内には詩を響かせることができるのだ

［翻訳・倉本知明］

陳義芝（チェン・イーチン）▶1953年、台湾花蓮生まれ、高雄師範大学博士課程修了。雑誌『後浪詩刊』『詩人季刊』などの発行、『聯合報』副刊では10年間編集主任を担当。97年から輔仁大学、清華大学、台湾大学、台湾師範大学などで教鞭を取る。著書に、詩集『新婚別』『不能遺忘的遠方』『不安的居住』『我年軽的恋人』『辺界』『掩映』など、計８冊があるほか、散文集や学術書も多数出版。40年に渡って文学創作をつづけるその作風は造形深く、遠大な視点をもつ台湾注目の詩人。

Yuhong Chen

リモート

——ウィルス2019

あなたが見えなくなった

それは一匹の蝙蝠からはじまって
一人の人間
一つの都市
一つの国家一つの洲
そしてまるごと一つの地球（わくせい）を占有した
その勢力は日一日と拡大し
一キロ
やがて一万キロにまで及んでいった

十一月は一月となって
また一（ひと）月
一発の銃弾も
一滴の血も
目にできない
それは色も形もない
物音のない襲撃だった

占有。封鎖。

その勢力は拡大を続け

私たちの手を使って

私たちを窒息させ、全身の機能を停止させ

死にまで至らしめるのに、

それ自体が死ぬことはない

生命を持たないそれに

私たちは全面的に敗北し

お互いの距離は縮まらないまま

拡大、あなたが見えなくなった

地下鉄は運休、電車も運休、

飛行機は欠航して

この街頭からあの街頭までは

ガンジス川ほどの距離があって

永遠と思えるほど遠い

私たちは同じだけど、すでに

まったく変わってしまった世界にいる

大地は静かに止まっているが

太平洋は変わらず騒がしい

フェイスブックとマスク越しに

あなたが見える　不完全な

バーチャルなあなたが

あなたの笑顔はリモートの向こう側にあって

——なんとかまだ生きてるよと言った

バーチャルで

完全には見えないけど

それでも見える

新たな感覚に新たな視点

それは目には見えない、

バーチャルに適応した

不完全な人生、まるで

あの逆さにぶら下がった蝙蝠と同じように

適応して、生きていくのだ

[翻訳・倉本知明]

陳育虹（チェン・ユフォン）▶台湾高雄市生まれ。文藻外語大学英語学科卒業。著書に『閃神』など7冊の詩集、日記体散文『2010陳育虹』がある。2004年『索隠』で台湾詩選の年度詩賞、07年『魅』で中国文藝教会文藝賞章を受章。15年、北京人民大学で在校詩人として赴任。17年『閃神』と『之間』で聯合報文学大賞を受賞。『呑火』など5冊の詩集が外国語に翻訳されており、なかでも『あなたに告げた』は11年に日本で（佐藤普美子訳、思潮社）、18年にフランスで出版された。

Okgwan Jang

魔王グモの網

張沃錧(チャン・オックァン)▶1955年、慶尚北道先山生まれ。87年『世界の文学』に「山歩き」などの詩を発表してデビュー。著書に、詩集『黄金の池』『車輪の音を聞く』『空の井戸』『月と蛇と短い物語』『あの冬私は北壁で暮らした』のほか、童詩集『自分のおへそをさわってみた』がある。金達鎮文学賞、一然文学賞、露雀文学賞受賞。韓国文化芸術委員会の〈2007年、今年の詩〉に詩集『月と蛇と短い物語』が選定された。現在、啓明大学文芸創作科教授。

隣人同士を結びつけてくれるんです
祈ったり歌ったり踊ったりしているうちに一つになります　スーパーで　エレベーターで　目配せすれば
ただちに愛に染まります

かつてこれほど緻密なクモの巣はありませんでした　一人も飛ばしたり見落としたりすることなくからめとるのです
ようやく気づきました
私たちがどれほど近しい間柄だったのか
閉じ込められるとわかりますね

この網をかけた魔王グモは
ひどく寂しかったんでしょう　ばらばらだった人たちを
一つにしてしまうんだから
今、
都市のすべてが咳の網にからまっています

［翻訳・吉川凪］

Nikola Madzirov

我々はどこに属しているのか：帰ってゆく場所、それとも死に場所？

私は距離を恐れない…
むしろその近さに怯える。

家とは心理的な建築物だ。帰属していないことへの恐怖。帰還することで死を先延ばしできると信じる気持ち。安全という暖炉。どんなに殺風景なホテルの一室であろうと、テレビ画面に映し出された暖炉の炎でもって君を迎え入れ、壁にかかった悪趣味極まりない絵画と煩い音をたてる空気洗浄器とともに君に請け合ってくれるだろう、ここが君の住処なのだと。最近では、家に籠ることは帰属ではなく孤立と呼ばれる。対照的に、神話における「振り返り」の仕草、そうすることで愛する者を死に追いやったり石に変身させたりするにも拘らず、立ち去ろうとする家を今一度振り返って眺めてしまうという行為は、後にその家を思い出すとき記憶を一層生々しく掻き立てるだろう。もうかれこれ長い間、私は超現実的な家で暮らしてきた。まるで空中に根を伸ばした樹のような家だ。パリでは、かつてフランシスコ会レコレ派の修道院だった建物に住んでいた。ここは後に陸軍病院として使われ、長きにわたって修道僧たちの沈黙と戦傷者たちの悲鳴が対立することとなった場所だ。妖しき都ベルリンにおいては、ゴットフリート・ベン医療センターの近くに住んでいた。この建物の窓には金属の棘が取り付けられていたので、自分がどこからやってきてどこへ行こうとしているのかもはや忘れてしまった放浪者たる鳩たちは、可哀そうに舞い降りて羽を休めることができないのだった。放浪者は記念碑を必要としない。ただし難民であった私の祖先は、かつて住んだことのあるすべての家の鍵を洗面台のキャビネットに仕舞っていたものだ。あたかもいつの日か出発の地に戻り、ずっとそこで暮らし続けることができると信じているかのように。近頃とみに、人が家を離れるのではなく、家の方が人を見捨てると感じられることが多くなった。肉体を空間的に移動させることに馴れきった私たちにとって、旅行は単なる土地の変更と化してしまった。とはいえ、これまでに立ち去ったすべての家が、まるで飢えた動物のように自分を追いかけてくるかのような錯覚に囚われることもあるのだが。私が落ち着くことのできる家は詩のなかだけであり、懐疑のなかにおいてのみ、私は寛ぐことができるようだ。文学は詩から始まった。「放浪者の歌は、定住者の文字よりも古い」とヨシフ・ブロツキーは書いている。新しい旅に出る前、慌ただしくスーツケースを開けると、もう私の影がそこにいて本と洋服が詰め込まれるのを待っている。旅から戻ってくると、のろのろとスーツケースを開ける。戦没者の棺の蓋をこじ開ける手つきで。逃避を長引かせようとするかのように、他には誰もいないのに、帰属と再生を遅延しようとするかのように。

何かに帰属するということは、しばしば「根付く」ことを妨げる。シモーヌ・ヴェイユは「根付くことは、おそらく人間の魂にとって最も大切であると同時に、最もないがしろにされている欲求である」と書いている。人間は中間の場所にも帰属しうる、まだ建て終わっていない家にも。私はマケドニアのストゥルミカという町に住んでいるが、この町はギリシャとブルガリアの国境に挟まれている。このわずか数百メートルの帯のなかにいる時、私は最も安心していられる。なんの記念碑も史跡もない空間。いみじくもそれは「ノーマンズ・ランド(誰のものでもない国)」と名付けられているが、自分がそこに属していると感じてしまう者は「ノーバディ(誰でもない)」ということになるのだろう。イデオロギーは常に誰かの肉体と精神から「ノーバディ」を作り出そうとするが、オクタビオ・パスによれば「ある者(サムバディ)の存在を否定することによってノーバディを作り出す者は、自分自身がノーバディとなる」のである(『孤独の迷宮』より)。同じことが都市に対しても言える。辻角、小さな広場、名前のない橋……、私たちの内面世界と呼応する細部を発見したとき、私たちはその都市が自分に帰属していると感じる。そしてそれらを自分の人生の日課とか私的な歴史の一かけらとして語るようになる。帰属することは自然なことだ。だがもしその都市に滅多に住んでいないとすれば、それは自己欺瞞としての帰郷ということにもなるだろう。私たちは私たちが帰る場所に属しているのか、それとも死に場所だけに属しているのか？　ミウォッシュは「わが青春の町」という詩をこう始めている。「生きないでいる方が品位がある。生きることははしたない／そう言ったのは何年も経ってから、若き日々を過ごした町へ帰って来た男、そこにはもう誰もいない／かつてその街路を歩いた者は誰ひとり／いまそこには何もないのだ、その男の眼のほかに」。自分が自分に帰属していると感じることのできる都市とは、自分自身の小ささを繋ぎとめる港のようなものだ。引きずってきた現実から追放されて、人はそこで世界の真の姿を築き始める。二十年前に刊行された私の最初の詩集は『その町に閉じ込められて(Locked in the City)』という題名で、政治的な事情で発行されないビザや観念的な壁によって醸し出された閉塞感に彩られたものだった。バルカンの地に係わることは、自発的であれ強制的であれ、祝福にして呪いである。罪の意識に染まった地理的空間における生誕。君の母は君を産むために波止場で股を開いたのだ。だがステイホームの閉塞は、真の帰属からはほど遠い。コロナの流行下において、地球規模で隔離を余儀なくされている私たちは、我が家でも故郷でもなく、世界そのものに帰属するほかないかのようだ。

[翻訳・四元康祐]

ニコラ・マジロフ▶ストルミツァ(マケドニア)生まれの詩人、編集者、エッセイスト、翻訳家。主な作品に"Locked in the City"、"Somewhere Nowhere"(ともに1999)、"Relocated Stone"(2007)など。作品は30カ国以上に翻訳され、その詩をもとにした短編映画や楽曲なども作られている。ヒューバート・ブルダ欧州詩賞をはじめ、数々の文学賞を受賞。

Yuwon Hwang

今日もマスクをしたまま
息の詰まる日を過ごして帰宅したけれど
その五秒が僕を救ったと思うと

あら、

くらりとして
心が震えた

暮らしている中で　そんなことだけ
かろうじてうれしかった

［翻訳・吉川凪］

黄有源（ファン・ユウォン）▶詩人、翻訳家。1982年、韓国蔚山生まれ。著書に、詩集『世のすべての最大化』『この王冠が僕は気に入った』、翻訳書に『モビーディック』『ボブ・ディラン——詩になった歌1961〜2012』などがある。現在、ソウルで活動中。

夏の夜のカクテル

マンションの共同玄関の前で暗証番号を押してドアを開ける　ちょうど五秒前
街灯の色がすべて違った

食べ物ゴミを入れる箱の横は黄色
ちょっと離れた所にある夏の木の葉っぱの下は薄緑
遠い闇の中を照らしているのはオレンジ色……

片側には白い街灯が氷のように整列していて

まるでカクテルみたいだった
夏の夜が僕に作ってくれたようでもあり
僕が作ったカクテルのようでもあった

Fiona Sampson

新しい音楽

突如として、この新しい音楽が ──

森の中で唸っているチェーンソー

まるで昨日窓際で

ガラスを齧っていたかに見えた

女王蜂のような鋸の歯が

震える樹木を食べているまるで怒りには

なにもかもを取り除くことができるといわんばかりに

恐怖と欲求不満がきちんと

クリーム状のおが屑の山に収まって──

それとも積み上げられた薪木だったのか　事態は

変わったと言ったのは？　ここにひとつの空間がある

かつては何かが存在したが今では

空だけが広がっていて　光を

引きずり降ろしてゆくまるで長い間

内密にされてはいたものの結局のところは

なんの不思議でもなかったものを手放すかのように

ある者は死にまた私たちのある者は

歩き続けて自分自身に近しい

終わりへと入ってゆくのだ、そしてもし

その道が砂地だったなら、雨の少ない今年の春、せめて

足跡だけは後に残ることだろう

［翻訳・四元康祐］

フィオナ・サンプソン▶イギリスの詩人。2005年から2012年、詩誌『ポエトリー・レビュー』の編集長を務める。詩は世界37の言語に翻訳され、European Lyric Atlas Prize、Charles Angoff Awardなど各国の文学賞を受賞。17年、長年の文学界への貢献に対して大英帝国勲章を授与された。

Philip Meersman

Dum Diversas（異なる限り）、Sublimis Deus（崇高なる神は）、hominem infirmum（病める人間）

匂い、味、そして触感の喪失
積みあがってゆく廃棄物の
いまだ存在しない地図上の変化
永久凍土の偶像破壊
植民地的永続性
コンキスタドールの柱廊
ビッグブラザーの窃視症
舗装への異様な執着の上で
ゴム手袋の新しい用途が
鳥を待っている

森の奥深く

希望が掻き消えてゆく

籠はなし

映画もなし

でもストリーミングはあり

身体的な知恵はないが

ミツバチは戻ってきた

精神的なオルガスムスはなくとも

すべての親指は上に向かって突き上げられて

深く掘れ

考えろさもなくばツイートせよ

追放しろ

パラレルワールドへ

青い海はなし

代わりに急速に迫ってくる賞味期日

眺望もなし

人気ない街路があるだけ

呼吸することは特権となる

見よ、独裁者がのし上がってゆく

ぶちまけろ

原油を、すでに焦土と化した廃墟の上に

持続するツイートだ、持続するツイートだ、

右アルト・キーの神に感謝、

ついに持続するツイートだ *

［翻訳・四元康祐］

*マーティン・ルターキング牧師の演説「I have a dream」を締めくくる “Free at last, free at last, thank God Almighty we're free at last ”をもじったもの。原文は “Tweets that last, tweets that last, thank God alt-righty, tweets that last”。

フィリップ・メアズマン▶ベルギーの詩人、パフォーマー。ハレ市の文化センターでマネージングダイレクターを務めながら、アントワープ王立芸術アカデミーで視覚詩とそのパフォーマンス・ストラテジーを研究。時事問題、社会政治問題、環境問題などをテーマに、文章表現と音声表現の双方から詩の境界を押し進める。世界各地で活動し、作品は15以上の言語に翻訳される。

Denzo Hosoda

空

20.March.2020

Tokyoの空が青い

いつもこのように青いのですか

晴れていれば青い

木戸番の邏卒に問えば事もなげに言う

然りとて尋常な青さではない

怪しい空の下を歩いて孫娘に会いにゆく

ビルディングの角でソンニョが手を振っている

揺れる指先に光の糸が吸い込まれている

顔は陰画だったり光ったりしている

どうしたのどうかしているの

恐る恐る少女に訊く

「別に・・・」ただ空が・・・わたしのお空が

わたしたちは透視者になって空を見た

空には

銀色に光る無数の王冠が飛び交って

時として春雨のように地上に降り注ぐ

嫌々嫌々

首を振ると

また空に舞い上がって輝き

春の風にゆらゆら揺れてゐるのでありました

20.March.20

Pandemoniumnの空は青い

※四元康祐氏の「終章　春雨コーダ」からの引用があります

細田傳造（ホソダ・デンゾウ）▶1943年生まれ。2008年より詩作を始める。2012年に第1詩集『谷間の百合』（書肆山田）で第18回中原中也賞を受賞。このほかの詩集に『ぴーたーらびっと』(2013)『水たまり』(2015)『みちゆき』(2019、全て書肆山田)がある。詩誌「歴程」同人。

Youngsun Heo

サリには

サリ*には会おう
海に出ていた父が
言った

サリは海の時間
中身が満ちてくる月の時間だ
父はその日　サリには会おうと言った
お前たちは海を離れたけれど　サリが
われわれの時間であることを忘れてはいかんぞ
水の時間に耐えて海岸で働いた母の苦労を
海に出ていた父は　漁を休んだ

月末はいつもサリ

30日に1度の海の時間

波が海底の力を引き寄せて裏返す時間

風が力の限り波をひっかく時間

封鎖された都市の感染を鎮めるみたいに

海はありったけの力で一日中海底を掘り返した

それぞれ別の都市に移った私たちは

その日　サリにはちょっとだけ立ち止まろうと言った

多少のことは後回しにして　サリには

必ず会おうと誓った

どうしようもない日には　家族ひとりひとりの

顔を思い浮かべて会おうと言った

私たちはサリの時間に　お互い

元気かと尋ねる

私たちにも30日に1度は

サリの時間が必要ではないか

海の時間であるその日には

必ずそうするのが決まりだ

見境もなく波打っている私たちの心も

すっとサリになったりする

＊サリ　潮の干満の差が最も大きい時期。満ち潮。実際には月に2回ある。

［翻訳・吉川凪］

許栄善（ホ・ヨンソン）▶韓国済州島生まれ。済州大講師。済州四・三研究所所長、五・一八記念財団理事、社団法人済州オルレ理事。著書に、詩集『追憶のような――私の自由は』『根の歌』『海女たち』のほか、エッセイ集、歴史書、絵本がある。日本では『語り継ぐ――済州島四・三事件』（村上尚子訳、新幹社、2014）『海女たち』（姜信子・趙倫子訳、新泉社、2020）が出版された。大村益夫編訳『風と石と菜の花と――済州島詩人選』（新幹社、2009）にも作品が収録されている。

Michael Brennan

Covid-19に関する規制

愛、
優しくすること。

自分の前提を確かめること。
彼らの前提を確かめること。

息をすること。
緊急の際にはガラスを割ってください。

踊ることで楽になれるかどうか試してみること。
できれば事前に。

サッカーについて尋ねること。
彼らの死んだペットについて。
彼らの叔母についても。

くそったれが。
君はどうだっていいと思っている。

でも彼らは違う。

訊いてごらん。

それが人間ってもんだ。
準備を怠らないことが大切です。

待つこと。

見ること。

聞くこと。

70 年代に道路を渡るときそうしたように。
彼らが何を後悔しているかについては
訊いてはいけない。
彼らが何を後悔しているか訊ねること。

彼らの目を覗きこまないこと。
彼らの目を覗きこみなさい。

彼らは崩れるだろう。

でなければ君が。

なにもかもこれでいいんだ。
彼らはそう云うだろう。

あるいは君が。
馬鹿者め。

始まらないうちに。
暴力に訴える必要はさらさらないが。

最初の行を読まなかったのか。
暴力に訴える必要はまったくないのだ。

まあ、どっちだっていいけど。

待って。

ごらん。

ほら、息をするのを忘れている。

誰にでも順番は回ってくる。

彼らにデイビッド・ボウイが好きかと訊くこと。
デイビッド・ボウイが好きじゃない奴なんていないよ。

彼は死んだ。

大丈夫。

［翻訳・四元康祐］

マイケル・ブレナン▶1973年、シドニー生まれ。著書に『The Earth Here』(2018)『アリバイ』(2015)『Autoethnographic』(2012)などがある。作品は日本語のほか中国語、ベトナム語、スウェーデン語、フランス語など8言語に翻訳されている。詩作のほかに、小説『The Chemical Bloom』も発表している。

Matthew Cheng

抗疫時代

骸骨が空の高みで踊りだす

刈り入れの鎌の刃が白く瞬く

人々は自らを閉じ込めて

子供はひとりで遊んでいる

世界は四囲の壁によって測られ

言葉はマスクに成り代わる

何年も前の顔が再びやってきて

無言のメッセージを残してゆくが

耳を傾けるものはいない

朝の光が

刈り入れの鎌の刃先に輝いて

黒衣の影を映している

ニヤリと笑う骸骨

その手はカチカチと音をたて

その足は持ち上げられてまた踊り始める

［翻訳・四元康祐］

鄭政恆（マシュー・チェン）▶詩人、エディターのほか、映画批評も執筆。著書に、詩集『The First Book of Recollection』(2015)、『The Second Book of Recollection』(2016)。編者として『Wait and See: The Collection of Six Hong Kong Young writers』、美術批評に『Hong Kong Literature and Cinema』『Hong Kong Cinema Retrospective 2011』などがある。英中バイリンガル詩誌「聲韻詩刊Voice & Verse Poetry Magazine」の編集にも携わる。

巣の上に冠を被せる

彼らがみんないなくなったとき

私には何が残されるのだろう？

私は沼地に住んでいる。

家の窓の

外を飛び去ってゆく者の名簿。

アオガラ、アトリ。あと、マヒワとか。

色鮮やかなもの、インチキなもの。
年老いたものや、恐れ慄いているものも。

ひとつの世代の信頼を裏切る旅行者たち。

いいかい、私は庭師ではないんだ。
なぜ彼らを助けるのかと
訊かれたこともあったらしい。
何故なら、とその老人は答えたものだ、
あまりにも大勢が死んでいったから。

私はただ巣に冠を被せているだけだ。
私はただ枝を引っ張っているだけだ。

［翻訳・四元康祐］

マズーラ▶エストニアの詩人。1973年生まれ。Gustav Suits詩賞、Virumaa Literary Awardなどエストニアの文学賞を受賞。翻訳者としてデレク・ウォルコットの作品を手掛ける。エストニア国営放送でラジオ番組のパーソナリティも務める。作品は、英語、フィンランド語、ヘブライ語、スペイン語などで翻訳出版される。

Yusuke Miyake

マスクマン

私は毎朝、犬の散歩をする

そして必ず白いマスクをする

マスクの効用を信じているからではない

その証拠にそのマスクは

百回以上使った使い古されたものである

ではなぜ私は実質意味のないマスクをするのか？

単なるポーズではないのか？

それは隣人の目を恐れるからである

隣人の非難を恐れるからである

下手をすれば密告されかねない

そんな怖さがこの日本にはある

例えば一国二制度が崩れた香港では

すでに隣人による密告が横行しているという

人権問題もパンデミックも

本質においては同じではないか

人間の醜悪さを露呈するという意味では

犬の散歩の途中で

マスクをした近所の知人とすれ違った、

と思った

思った、というのは
マスクをしていると
皆同じ顔に見えるからである
上半分の顔には驚くほど表情がない
下半分の顔には
どんな邪悪な表情が隠されているのか
私は黙って会釈した
相手は足を止め、無言で私を見ている
犬が低く唸る
私も足を止めて相手の目を覗き込んだ
まるでビー玉のような平坦な目
私はたじろぐ
その途端、
彼は大きなくしゃみをした
私は思わず犬の紐を放し
両手を差し伸べ
マスク越しに飛び出してきた
大きな大きなコロナ菌を
ものの見事にキャッチしてしまった
それはまるでハンドボールくらいの大きさの

シャボン玉のようなものだった
そいつはキラキラと初夏の眩しい光を反射させ
表面に美しいカラフルな色彩を渦巻かせている
私は魅入られたように顔を近づける
やがてそれが、コロナを予言したという
東欧の老婆の水晶玉だということに気づく
その水晶玉には
トランプやら習近平やらアベの顔が
消えたり浮かんだりしている
私が当惑すると
私の間抜けな表情が
ハンドボールに映し出される
すると知人は
ゆっくりと白いマスクを外して
見たこともない下半分の顔を
露出したのである

三宅勇介(ミヤケ・ユウスケ)▶1969年、東京生まれ。歌集『える』、『棟梁』、詩歌集『亀霊』第三十回現代短歌評論賞受賞。短歌の創作から入り、長歌、旋頭歌などの失われた詩型や日本語そのものの起源などにも興味を持つ。俳句や現代詩も手掛ける。トルコの詩人との連詩や、ルーマニアの詩人との詩歌セッションなどを行う。

Megumi Moriyama

封　印

ウイルスが迫り息ができない
朝
生きている私なのか　身体に触れてたしかめる
肌がこたえて
傷口がいっせいにざわめきだす

屋根のうえ
カナリア色のスカートの女が歌う
街じゅう封印されても
狂うようにタンバリンを叩き
影をのこし　やがて向こうへ吸いこまれてゆく

だれもが
殺菌　消毒

ではなく

愛

を交わしたい

信頼できない語り手に

あらがい

ことばに濡れてひたすら文字を綴る

四角い窓ガラスに　顔がいくつも張りついてくる

身代わりのように消えていく人たちは

まっ赤に染まる東京湾の橋

対岸で

信じられる語り手は　いつまでも沈黙している

隔たりを超え　傷をあがない

カナリアの女とともに歌え

祈祷となってきょうも歌え

人類、私たち、橋の途上で

森山恵（モリヤマ・メグミ）▶詩人・翻訳家。聖心女子大学英語英文学科卒業、同大学院英文学修了。詩集に『夢の手ざわり』『エフェメール』（ふらんす堂）『みどりの領分』『岬ミサ曲』（思潮社）。翻訳書に紫式部『源氏物語　A・ウェイリー版』全四巻（毬矢まりえ共訳・左右社）。NHK World TV 英語俳句番組 Haiku Masters 選者。

Kiriko Yagami

穴

吸うはあぶない吐くもあぶない
塞ぎきれない穴持ち歩き
売られる穴に走り去る穴
すかすかの町すけすけの空

白くこまかく泡立つ日々を
春のてのひらさらさらながれ
おいでおいでと手招きすれば

穴のふちへと迫りくる葛
密密密にからめるうねる
生まれつづけるつぼみ笑み闇

雨だれあつめあふれだす穴
呼んでみたのは死んだ犬の名
もう一度呼びすっかりひとり
ひかりまみれの底はここ　どこ

八上桐子（ヤガミ・キリコ）▶1961年生まれ。川柳人。2004年「時実新子の川柳大学」に入会し2007年の終刊まで会員。以後、無所属。句集に『hibi』（2018年、港の人）がある。

Kayoko Yamasaki

恋　唄

光になった私は
言葉も声も持たず
鉄の扉をくぐりぬけ
暗闇に閉ざされた人を
靴もはかず訪ねてゆける
見えない手をさしのべ
独房から救いだして
夏の夜の森へ逃れ
泉を見つけたら
水面に星をちりばめ
水を飲ませ渇きを鎮め
誰にも聞こえぬ唄となり
熱に喘ぐ者に膝枕させ
最初の朝が来るまで
けして、ねむらず
そこを去らない

私は光となったので
言葉とともにあり
疫病など恐れず
素足であるき
私はどこへ行こうとも
あなたのうちにある

光となった私を
あなたが忘れても
菩提樹はおもく香り
あなたを私は離さない

光となった私は
帰ってゆける
まばゆい沈黙となり
初めの言葉に帰郷する
あなたの腕にいだかれて

山崎佳代子（ヤマザキ・カヨコ）▶詩人・翻訳家。1956年生まれ、静岡市育ち。北海道大学露文科卒業後、サラエボ大学文学部、リュブリャナ民謡研究所留学を経て、1981年、ベオグラードに移り住む。ベオグラード大学文学部にて博士号取得（アバンギャルド詩、比較文学）。詩集に『みをはやみ』など、翻訳書にダニロ・キシュ『若き日の哀しみ』など、エッセイ集に『ベオグラード日誌』など。

Jan Lauwereyns

痛みを撤廃するための黒コブラの毒

毒は中心的な役割を担う
私たちが骨髄、
あの柔軟な組織への
愛の

痛みを
理解するために。

私たちは考える、
比較対象試験の自分について、
内面について、

別の蛇から取り出された
この三本指のペプチドを
君が読み取る

まさにその瞬間に。

それは重要な進歩をもたらすだろう
酸性の許しのなかで、

モルヒネと同等の強さだが
しかしそれほど忘れっぽくはなく、
呼吸器症候群もない、

沈黙のための
適度な残余。

［翻訳・四元康祐］

ヤン・ローレインス▶1969年、ベルギーのアントワープ生まれ。98年、ルーヴェン大学で心理学の博士号を取得。視覚的注意の研究を専門として、米国およびニュージーランドで研究者および教師として勤務。2010年より九州大学の教授。オランダ語と英語で20冊以上の詩、エッセイ、小説を出版。12年、VSB詩賞を受賞。最近〝存応〟というペンネームで、英語と日本語で並行して書きはじめる。現在のプロジェクトは「蘭の公聴会」という大学生活の風刺である。

Yu Yoyo

人が燃える

人が燃える
だがそう
簡単には燃え尽きない

人が人に火をつける
炎ではなく
怒りによって
あの鉄の門の内側には
火勢を激しくするための
悲劇がたっぷり

人が燃えるときの
ゆっくりとした色彩の変化は
スペクトラムのなかに収まるだろうか
目に見えたり
通過したりできるだろうか

燃やされたあと、人は
気化するのか
それとも塵と化すのか
記憶や痕跡になるのだろうか
触ることはできるのか
風に乗って
自由気ままに生きてゆくのだろうか

人が燃えた後の空は
空っぽ？
それとも地上の投影？

人が燃え続けている
数えきれない火花に散って
炭となって、他の
人を燃やすための燃料と化して

竈の火はいつまでも弱まらない
人も燃え尽きない

［翻訳・四元康祐］

余幼幼（ユウ・ヨウヨウ）▶1990年、中国の四川生まれ。2004年から詩を書きはじめ『詩刊』『星星』などの刊行物に掲載される。著作に、詩集『7年』『我為誘餌（私は餌になる）』。雑誌『詩選刊』が選ぶ「今年のパイオニア詩人」や『星星』が選ぶ「今年の大学生詩人」にも輝く。

Ilhyun Yoon

近づく距離

膵臓がんで闘病中の友人が

宅配で送ってきたヌルンジの箱に

ラブレターみたいにきちんと折ったメモが入っていた

街がひっそりとしているそうだな

一日中家にいるんだろう

あいさつ代わりに非常食を送る

出かけたりするなよ

食欲もなく気がふさぐ時

静けさと侘しさをおかずに　よく噛んで食べてくれ

2020年3月21日　ソンジェより

ソウルが　隣町みたいに近くに思えた

［翻訳・吉川凪］

尹一鉉（ユン・イルヒョン）▶1956年、韓国大邱生まれ。季刊『人間の文学』と詩集『洛東江』で詩人として出発した。著書に詩集『花のごとく蝶のごとく』『洛東江も歳月も私です』、エッセイ集『不惑の子供たち』『親の考えが変われば子供の未来が変わる』『シジフォスのための弁明』『食卓と机の間』がある。感受性の鋭い青少年が読書によって人格や学力を向上できるよう、力を尽くしている。大邱詩人協会会長。

Nagi Yoshikawa

鬼哭

近づいた分だけ遠ざかる
永遠に縮まらないディスタンス
分割された画面の中であなたが手を振る
バーチャルな背景の
巨大都市が崩れるのも気づかず

満開の一本桜が
誰にも看取られないまま唐突に朽ち

天の白鳥は
無数のWi-Fiに射抜かれて堕ちる

謀反の罪で刑された古（ふる）物語の皇子が
異変を察して墓を抜け出した

私ではない　狐でもない
このまがごとは
太陽の冠をかぶった微小な輩の仕業
今人（いまひと）は怯え
物忌（ものいみ）して待っている
松の枝を結んだきり連れ去られた私を
私のように帰れない誰かを

人通りの絶えた下界を見下ろし
皇子は
いつかどこかでしたように
透明な肩を震わせて泣いた

吉川凪(ヨシカワ・ナギ)▶大阪生まれ。仁荷大学国文科大学院博士課程修了。文学博士。著書に『朝鮮最初のモダニスト鄭芝溶』『京城のダダ、東京のダダ』。訳書に『申庚林詩選集 ラクダに乗って』、『呉圭原詩選集　私の頭の中にまで入ってきた泥棒』、チョン・ソヨン『となりのヨンヒさん』、朴景利『土地』など。キム・ヨンハ『殺人者の記憶法』の翻訳で、第４回日本翻訳大賞受賞。

Yasuhiro Yotsumoto

コロナ月十首

ドアノブに言葉が一粒付着している
あなたが入ってきたその手で触ったわたしの無言に

生きながら死んでいるのよ
わたしウィルス晴れのち曇り時々滅亡

わたしのジャイアントパンダと
あなたの王様ペンギンが
横断歩道でワルツを踊る　何気に息を止めて
私たちがすれ違うとき

街じゅうに落ちている使用済みマスク
屈んで拾って自分の口に押し付けたくなるのは、
愛？

瞬間のひとひらなのね感染（うつ）るのも
その堆積の上で眺める紫陽花

雲という字には魂の欠片があると人は云う
今日の空は雲でいっぱい

雨を見ていると体の奥が溶けてゆきそう
ココニイルマダココニイルマダ……
雨音だけを後に残して

お願い、数えるのはもう止めて
死は唯一つのクラインの壺

石垣、ハチの巣、島宇宙
犇めき合いの隙間からそれはヌッと現れる

「命を守ることが何よりも大切です」
ほんとう？　シロの遺影に
塵の降りつむ

四元康祐（ヨツモト・ヤスヒロ）▶1959年、大阪生まれ。86年アメリカ移住。94年ドイツ移住。91年第1詩集『笑うバグ』を刊行。『世界中年会議』で第3回山本健吉賞・第5回駿河梅花文学賞、『噤みの午後』で第11回萩原朔太郎賞、『日本語の虜囚』で第4回鮎川信夫賞を受賞。そのほかの著作に、詩集『単調にぼたぼたと、がさつで粗暴に』『小説』、小説『偽詩人の世にも奇妙な栄光』『前立腺歌日記』、批評『詩人たちよ！』『谷川俊太郎学』、翻訳『サイモン・アーミテージ詩集　キッド』（栩木伸明と共著）『ホモサピエンス詩集　四元康祐翻訳集現代詩篇』など。2020年3月、34年ぶりに生活の拠点を日本に戻す。

Lieke Marsman

遅ればせながらの
議会代表質問

モスクワ近郊の

救急車の渋滞

ベルガモ近郊の

軍用ジープの行列

広州から

ウィスコンシンまで

彼らは踊る

恐怖（マカバー）の

舞踏（マカレナ）を

家から出ず

ベランダで

リズムに合わせて

陽

距離（ディスタンス）

陽

距離

うららかな春の

陽

が流れてゆく

毎日の日課の

指の間をすり抜けて

私たちを置き去りにしたまま

新聞のビジネス面には

いつもグラフ

経済は

高値と低値を

罫線のパターンで示すけど

またしても

不意を突かれる

サウジアラビアの

原油政策に

そしてトゲトゲのウィルスに

死体と

亡骸

の違いは

サニー老人ホームに入居している

あなたのランベルタスおばあちゃんと

ベンガル人の仕立て屋

との違い

彼はもうポリエステルの背広を

縫わなくてもいい

ご苦労様

でも夏は

失われた、文化の

季節と同様に

モリア*でひとりの少女が

死ぬ

ぺらぺらのテント布の

人工呼吸器

今度こそ

子供たちを死なせはしないと

約束していたのに

またしても

モラルは

敗れる

一個

９ユーロもする外科用マスクの

現実の前に

＊モリア　ギリシャのレスボス島にある難民キャンプ。劣悪な環境が問題となっている。

ブッキング・ドットコムは

たちまち大赤字

KLMの夏の賞与は

国からの支援金に連動された

Airbnbに

最初の空爆用シェルターが

登場する日も

遠くはないだろう

その間にも劇場は次から

次へと潰れ

あとでビデオになったら

観るだろうけど

今は

どんな芝居も

観に行かないということが

明らかになる

愛こそ

人生で最も

大切なものだと

思っていたが、ほんとうは
生き延びることが
一番大切だったのだ
人生において
大臣はその報告を
承知しているのだろうか
その事実を文書かまたは条例で
確認する覚悟があるのか？

※この作品はFlemish-Dutch House deBurenのマルチメディアプロジェクトBesmette Stad（感染された都市）の一環として、フランドル語詩人Paul van Ostaijenが第一次世界大戦を振り返った詩に触発されて書かれたものである。Besmette Stad（感染された都市）プロジェクトでは、60人以上の作家やアーティストが、コロナ危機を芸術によって表現している。

［翻訳・四元康祐］

リーケ・マルスマン▶1990年、オランダ生まれ。20歳の時に、詩集『Wat ik mijzelf graag voorhoud（自分に感心してみたい時）』で、ふたつの文学賞を受賞。他の作品に、第2詩集『De eerste letter（最初の手紙）』（2014）、環境問題を散文とエッセイと詩の組み合わせで扱った最初の小説『Het tegenovergestelde van een mens（人間の反対側）』（2017）。最新作は、自身のがん治療体験を題材とした『De volgende scan duurt vijf minute（次のスキャンは5分間続きます）』。

Waitong Liu

蜜

養蜂家(ようほうか)と美しくつややかな髪は死に

ミツバチと櫛(くし)は薄暗い森となった

もう十分、男の子は目覚まし時計をセットして

この年老いた地球(ほし)に尋ねる：一日って何マイクロ秒

　に換算できるんだろう？

男の子もやがて養蜂家になるのだろうか？

たくさんの人たちの両親が死んで、

たくさんの人たちの子供が死んだ

霊柩車は透明で深い水の中を進み、

魚たちはそれを追いかけながら

叫び声を上げていた

死ぬはずなのにいまだ死んでない者たちだけが

その声を聞かずにいた

男の子は髪の毛のない女の子を慕っていて、

その年

その年から髪を剃られた

女の子が流せなくなった涙は

地球で唯一の蜜となった

お母さん

［翻訳・倉本知明］

廖偉棠（リャオ・ウェイタン）▶香港の詩人、作家、撮影家。現在は台湾在住。香港青年文学賞、香港中文文学賞、台湾中国時報文学賞、聯合文学賞、香港文学双年賞など受賞。香港芸術発展賞2012年度作家などを受賞。中国、香港、台湾での著書に、出版された詩集『八尺雪意』『半簿鬼語』『春盞』『桜桃与金剛』など10余冊のほか、評論集『異托邦指南』シリーズ、散文集『衣錦夜行』『尋找倉央嘉措』『有情枝』、小説『十八条小巷的戦争遊戯』などがある。

Luise Dupré

マスクなしで

ルイーズ・デュプレ▶1949年、カナダのケベック州生まれ。モントリオール大学で文学博士号を取得。フェミニズム系の出版団体「Éditions du Remue-ménage」のメンバー、雑誌『Voix et Images: Littérature québécoise』の編集委員・ディレクターなどを経て、ケベック大学教授となる。詩集『La Peau familière』(1983)はケベックの文学賞Prix Alfred-DesRochers受賞。小説『La Memoria』(1996)はカナダ作家協会賞とケベック文学アカデミー賞を受賞。

身を守るために握りしめた拳のように、世界はいま閉ざされ、強張っている。あなたは王冠ウィルスの時代に生きていて、自分が脆弱な存在であることに気づく、毎日繰り返しそう言われるからだ、そのたびに頭蓋の内側で星々が破裂するのが聞こえる、その破片、彼らの惨めな血、積み重なる不運の上に座礁した沈黙。けれどあなたは死者の数を数えまいとする、自分の指と指を編み合わせて。生きていることの喜びをほんの少し送って欲しいと頼んでみる、恐怖を紛らわせてくれるあの素朴な歌の喜びを。幸いなことに、あなたはちょっとだけ羽目を外す術を心得ている。まだ身を捻るだけのしなやかさを保っている。あなたの秘薬であり、ささやかな贅沢でもあるハーブの香りを今も信じている。笑みを浮かべて、あなたは言う、さあ窓を開け放って新鮮な空気を部屋に入れましょうと。

甘い味わいが自分のことを忘れないでいて欲しいとあなたは願う。

［翻訳・四元康祐］

Fung Lok

都市の冠状ウィルス

球状　環状　あるいは冠状
適当にスタイルを選んで
都市の濁った角膜に漂っている
彼女は爪についた吸盤で
あなたの皮膚に張り付き
私たちにマスクとゴーグルを装着させて
二人の距離を99％まで引き離す
あなたの頭を引っ張りまわす彼女は
肩をいからせて街を闊歩（かっぽ）し
瞳孔は大きく見開き
その視線には腫瘍（しゅよう）が浮かんでいる
私にとって見るに忍びない光景
都市が最後の空気を
真っ黒な肺葉から吐き出すとき
私は押し出された酸欠状態の紙の束に
弱々しく呼びかけられていた

ある者は地下鉄のプラットフォームや街路に倒れ
顔のない死は
都市を取り囲む壁に積み重なっていく

他人が入って来るよりもさきに
自分たちが外へ出て行けなくなってしまった
逃げ出せない私は相変わらずあなたと
密封された車両に並んで座っている
あなたと彼女と私の位置は
遺伝子マッピングのように並べられていて
あなたと彼女は交差感染
私とあなたは免疫システム
彼女と私は食細胞
その順番が乱れてからは
自己治癒能力は体の外へと押し出されてしまった

紙で作ったエコロジカルな棺桶をもって
粉末の縁を乗り越えようとしていたときに
振り返った私はあなたが崩れ落ちる地平線上にいる
　のを見た
それは彼女と結託して
共に暮らすために作り上げた領土だった
私は硬貨を一枚投げ捨てた
願い事をするでも布施をするでもなく

ただそれを持ち歩けなかったからだ

私は因果のループをあなたに投げ渡した

最初あなたは封鎖に反対した

彼女を潜り込ませて

私を徹底的にやっつけるために

その上可塑剤(かそざい)を使って空っぽの都市を洗い清めて

新しく変異した

別のウィルスに置き換えたのだ

反目し耳に痛く声もなく毒舌な

虚血性で気胸があって一途で妄想たくましい

私たちは相変わらず不完全なままだ

［翻訳・倉本知明］

洛楓（ロック・フン）▶カリフォルニア・サンディエゴ大学にて文化批評の博士号取得。台北金馬映画祭の審査員やラジオ香港の舞台芸術に関する番組のパーソナリティ、香港ダンスカンパニーが上演した「Chinese Hero: A Long Exile」の脚本など、映画、ジェンダー研究、ポップカルチャー、舞台芸術、比較文学、異性装およびファッションに跨る多彩な分野で活動。これまでに4冊の詩集と8冊の文化研究書を著し、詩集『Flying Coffin』で、第9回香港中国語文学ビエンナーレ賞、批評『Butterfly of Forbidden Colors: The Artistic Image of Leslie Cehung』で香港ブックプライズ及び、2008年ベストブック賞を受賞。

あとがき

そもそもこのアンソロジーは、韓国文学の出版を目的として東京で設立された出版社クオンの社長金承福（キムスンボク）が、コロナ禍をテーマにした世界各国の詩人の作品を集めて緊急出版したいと発案したことから始まった。金承福は2011年3月11日の東日本大震災の後、しばらくうつ状態に陥ったけれど、震災を記録したエッセイや詩などに接したことによって、気持ちがずいぶん楽になったそうだ。当事者によって書かれたものは、それがいくら悲しい作品であっても人を癒す力を持っていると気づいたが、新型コロナウイルス感染症については世界の誰もが当事者だから、いろいろな国の人に書いてもらいたかったという。よく無謀なことを言い出す社長に、普段はブレーキをかける役目を果たしているクオンの伊藤明恵も、今回は快く賛成した。

それで、個人的な伝手（つて）を通じて声をかけ、賛同してくださった方々の作品を集めた。日本と韓国の詩人の割合が高いとはいえ、約二十カ国から作品が寄せられた。短い準備期間にこれだけの広がりが持てたのは、何といっても今年の春ドイツから帰国した詩人の四元康祐さんの力に負うところが大きい。国際的な詩祭を長年渡り歩いてきた四元さんは、日本のみならず世界各国の詩人と面識があり、英語のメールで気軽にやり取りできるという稀有な才能と人徳の持ち主で、つい最近も、『ホモサピエンス詩集　四元康祐翻訳集現代詩篇』(澪標、2020)という、各国の詩人の作品を集めた翻訳詩集を出している。

韓国の詩人に関しては金承福が直接依頼した詩人の作品以外に、『朝が来れば灯はどこに行くのだろう』(尹日鉉編、学而思、2020)から6篇を訳出した。これは新型コロナのアウトブレイクが起こった大邱(テグ)において、現地の出版社が大邱詩人協会会員の作品を集めて出したアンソロジーだ。また、中華圏の詩人については、中国文学を韓国語に翻訳する翻訳家キム・テソンさんからも紹介を受けた。

急なお願いにもかかわらず多くの詩人が喜んで寄稿してくれたのは、自粛期間中は不要不急のことは後回しにしろと言われ、未曽有の状況に遭遇して感じたことを表現したくても発表場所が見つからないような状況に置かれていたことと、同じような境遇にある海外の詩人とつながりたいという欲求を、潜在的に共有していたからかもしれない。

英語の詩は四元さんが、韓国語の詩は私が翻訳した。それ以外の言語で書かれた作品に関しては、本人が英訳を添えて送ってきたものは四元さんが英語から重訳した。英訳のついていなかったスペイン語の作品は久保恵さんが、セルビア語の作品は岡野要さんが引き受けて下さった。また、ドイツ育ちで英語やフランス語も堪能な四元さんのお嬢さんはフランス語の詩の解釈を助けてくれた。中国語の作品の翻訳は台湾在住の倉本知明さんにお願いしたものと、四元さんが英訳から重訳したものがある。三宅勇介さんはルーマニア語の俳句を英語から日本語に直し、さらに五七五に調えるという離れ業を、四元さんと共同でやってのけた。作品を寄せてくださった方々、翻訳や詩人の紹介に協力してくださった方々に深い感謝を捧げたい。

全体として、もっと重苦しいものになるかと思ったが、できてみるとそうでもないようだ。人類と伝染病ウイルスの相克の歴史を凝縮したような壮大な作品もあれば、大切な人を失った悲しみを描く切実な詩もあるけれど、コロナ禍での日常でふと気づいたことを繊細に表現した作品も少なくない。すんなりわかる詩も、よくよく考えないとわからない詩もある。

タイトルはいとうせいこう氏の作品タイトル「地球に

ステイする私たちは」から一部分を拝借したものだが、ビックリマークをつけてみると、なんだか妙に明るく元気な感じになった。今、生きている人たちが地球以外の星に移住するのは難しいだろう。どんなに遠い国に旅行したって、大金を出してちょっと宇宙旅行をしたって、人類がステイするホームは地球しかないのだ。人間だけではなく、蚊もゴキブリも鼠も鳥もコウモリもハクビシンもサルも豚も牛も地球にステイする。そして、どんなに頑張って撲滅しても、ウイルスや病原菌は新たな姿に輪廻転生しながらステイし続けるのだろう。地球は彼らにとってもホームなのだから。同じ地球に、私たちもなんとか共存させてもらうしかないのだ。

突然襲ったパンデミックの脅威の中で、世界の多くの国々は文化と歴史の違いを超えて外出自粛、ソーシャルディスタンス、マスク、手洗い、消毒、リモートワークなど、図らずも共通の生活様式を獲得してしまった。

スーパーの棚からトイレットペーパーや小麦粉やパスタが姿を消したのも、日本だけの現象ではなかったらしい。

自粛期間中ずっと胸に溜まっていた、言い表せないでいた何かを、たぶん、どこかの誰かが詩に書いている。もしそれを見つけられたなら、この詩集は、不要不急のものではなかったと言えるだろう。

2020年7月8日　日本各地に大雨が降っている日に

吉川凪

編・翻訳

四元康祐（ヨツモト・ヤスヒロ）
1959年、大阪生まれ。86年アメリカ移住。94年ドイツ移住。91年第1詩集『笑うバグ』を刊行。『世界中年会議』で第3回山本健吉賞・第5回駿河梅花文学賞、『噤みの午後』で第11回萩原朔太郎賞、『日本語の虜囚』で第4回鮎川信夫賞を受賞。そのほかの著作に、詩集『単調にぼたぼたと、がさつで粗暴に』『小説』、小説『偽詩人の世にも奇妙な栄光』『前立腺歌日記』、批評『詩人たちよ!』『谷川俊太郎学』、翻訳『サイモン・アーミテージ詩集　キッド』（栩木伸明と共著）『ホモサピエンス詩集　四元康祐翻訳集現代詩篇』など。2020年3月、34年ぶりに生活の拠点を日本に戻す。

翻訳

岡野要（オカノ・カナメ）
三重県生まれ。神戸市外国語大学外国語学部卒業、京都大学大学院人間・環境学研究科博士後期課程単位取得退学。博士（人間・環境学）。現在、神戸市外国語大学・大阪大学・京都産業大学非常勤講師。専門は言語学、スラヴ語学。主な著作に、Генитив отрицания в русинском языке Воеводины (Contributions to the 21st Annual Scientific Conference of the Association of Slavists (Polyslav)、Harrassowitz出版)、“Vojvodina Rusyn Motion Verbs in the Context of Language Contact”(『スラヴ学論集』第23号)。

久保恵（クボ・メグミ）
1989年、チリ共和国サンティアゴ生まれ、兵庫県西宮市育ち。2014年大阪大学外国語学部スペイン語専攻卒業。16年東京大学大学院総合文化研究科修士課程修了。共訳書にフアン・マヌエル・マルコス『ギュンターの冬』（悠光堂、2016)。主に雑誌やウェブメディアなどでスペイン語・日本語詩の翻訳を行う。最近は近現代日本の詩をTwitterでスペイン語に翻訳・発表している(@megucubo)。

倉本知明（クラモト・トモアキ）
1982年、香川県生まれ。立命館大学先端総合学術研究科卒、学術博士。文藻外語大学助理教授。2010年から台湾・高雄在住。訳書に、伊格言『グラウンド・ゼロ――台湾第四原発事故』、王聡威『ここにいる』（以上、白水社）、蘇偉貞『沈黙の島』（あるむ）、高村光太郎『智恵子抄』（麥田）がある。

三宅勇介（ミヤケ・ユウスケ）
1969年、東京生まれ。歌集に『える』、『棟梁』、詩歌集『亀霊』。第三十回現代短歌評論賞受賞。短歌の創作から入り、長歌、旋頭歌などの失われた詩型や日本語そのものの起源などにも興味を持つ。俳句や現代詩も手掛ける。トルコの詩人との連詩や、ルーマニアの詩人との詩歌セッションなどを行う。

吉川凪（ヨシカワ・ナギ）
大阪生まれ。仁荷大学国文科大学院博士課程修了。文学博士。著書に『朝鮮最初のモダニスト鄭芝溶（チョンジヨン）』『京城のダダ、東京のダダ』。訳書に『申庚林（シンギョンニム）詩選集　ラクダに乗って』、『呉圭原詩選集　私の頭の中にまで入ってきた泥棒』、チョン・ソヨン『となりのヨンヒさん』、朴景利（パクキョンニ）『土地』など。キム・ヨンハ『殺人者の記憶法』の翻訳で、第4回日本翻訳大賞受賞。

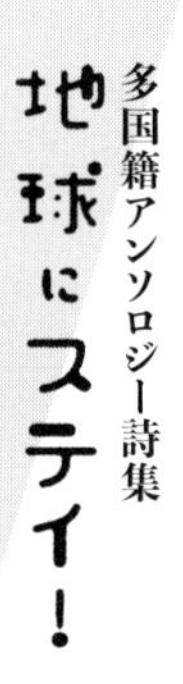

2020年9月30日　初版第1刷発行

編者　四元康祐
訳者　岡野要　久保恵　倉本知明
　　　三宅勇介　吉川凪
編集　伊勢華子
装丁　緒方修一
印刷　大盛印刷株式会社

発行人
永田金司　金承福
発行所
株式会社クオン
〒101-0051　東京都千代田区神田神保町1-7-3 三光堂ビル3階
電話　03-5244-5426　FAX　03-5244-5428
URL　http://www.cuon.jp/

ISBN 978-4-910214-13-9 C0097